EVEREST
2110

AHMET ALTAN

1950 doğumlu. Yayımlanmış on bir romanı, sekiz deneme kitabı var. Edebiyatçılığının yanı sıra genç yaşlarından itibaren gazeteciliğin her kademesinde çalıştı. Yazıları nedeniyle birçok kez yargılandı. Kitapları ve gazeteciliği Fransa'da André Malraux, Almanya'da Geschwister Scholl ve Leipzig Medya Ödülü, İtalya'da Andrea Barbato Gazetecilik Ödülü, Fransa'da 2021 Femina Yabancı Roman Ödülü ve Transfuge En İyi Avrupa Romanı Ödülü, Türkiye'de Yunus Nadi Roman Ödülü ve Uluslararası Hrant Dink Ödülü dahil birçok ödüle değer görüldü. Eylül 2016'da başlayan tutukluluğu, Silivri Cezaevinde dört buçuk yıl sürdü. Önce Şubat 2018'de aldığı ağırlaştırılmış müebbet cezası, ardından bu cezanın bozulmasıyla verilen on buçuk yıl mahkûmiyet kararı Yargıtay tarafından bozuldu. Avrupa İnsan Hakları Mahkemesi tutuklanmasının hak ihlali olduğuna hükmetti. Hakkındaki davalar sürüyor.

Romanları: *Dört Mevsim Sonbahar* (1982), *Sudaki İz* (1985), *Yalnızlığın Özel Tarihi* (1991), *Tehlikeli Masallar* (1996), *Kılıç Yarası Gibi* (1997), *İsyan Günlerinde Aşk* (2001), *Aldatmak* (2002), *En Uzun Gece* (2004), *Son Oyun* (2013), *Ölmek Kolaydır Sevmekten* (2015), *Hayat Hanım* (2021).

Denemeleri: *Geceyarısı Şarkıları* (1995), *Karanlıkta Sabah Kuşları* (1997), *Kristal Denizaltı* (2001), *Ve Kırar Göğsüne Bastırırken* (2003), *İçimizde Bir Yer* (2004), *Bir Hayat Bir Hayata Değer* (2016), *Yabani Manolyalar* (2017), *Dünyayı Bir Daha Göremeyeceğim* (2019).

AHMET ALTAN

HAYAT HANIM

§

Yayın No **2110**
Türkçe Edebiyat **882**

Hayat Hanım
Ahmet Altan

Kapak Tasarımı: Füsun Turcan Elmasoğlu
Sayfa Tasarımı: Gelengül Erkara

© 2021, Ahmet Altan
© 2021, bu kitabın tüm yayın hakları
Everest Yayınlarına aittir.

1. Basım: Kasım 2021

ISBN 978-605-185-687-2
Sertifika No: 43949

Baskı ve Cilt: Melisa Matbaacılık
Matbaa Sertifika No: 45099
Çiftehavuzlar Yolu Acar Sanayi Sitesi No: 8
Bayrampaşa/İstanbul
Tel: (0212) 674 97 23 Faks: (0212) 674 97 29

EVEREST YAYINLARI
Ticarethane Sokak No: 15 Cağaloğlu/İSTANBUL
Tel: (0212) 513 34 20-21 Faks: (0212) 512 33 76
e-posta: info@everestyayinlari.com
www.everestyayinlari.com
www.twitter.com/everestkitap
www.facebook.com/everestyayinlari
www.instagram.com/everestyayinlari

Everest, Alfa Yayınlarının tescilli markasıdır.

HAYAT HANIM

HAYAT HANIM

I

İnsanların hayatları bir gecede değişiyordu. Her şey öylesine çürümüştü ki hiç kimsenin hayatı kendi geçmişinin köklerine tutunamıyordu. Herkes lunaparklardaki kukla hedefler gibi bir vuruşla devrilip kaybolma ihtimaliyle yaşıyordu. Benim hayatım da bir gecede değişti. Aslında değişen babamın hayatıydı. Tam anlayamadığım bazı gelişmeler sonucunda büyük bir ülkenin "domates ithalatını durdurduk" diye bir açıklama yapmasıyla on binlerce dönüm arazi kıpkızıl bir çöplüğe dönüşmüştü. İşini sevmeyen insanlarda arada bir görülen bir gözü karalıkla bütün servetini tek bir ürüne yatıran babam sadece üç kelimeyle devrilip iflas etti. Her şeyimiz gitti. Sıkıntılı bir gecenin sabahında babam beyin kanaması geçirdi.

Öyle beklenmedik bir şiddetle düşmüştük ki babamın ölümünün yasını bile tutmaya vakit bulamamıştık, büyük bir baş

7

dönmesi yaşıyor gibiydik, her şeyi görüyor ama babamın ölümü dahil hiçbir şeyi tam algılayamıyorduk. Asla değişmeyeceğini sandığımız bir hayat dehşet verici bir kolaylıkla parçalanmıştı. Tanımadığımız bir boşluğun içinde düşüyorduk ama nereye doğru düştüğümü bilmiyordum. Onu daha sonra öğrenecektim. Babamın "eğlensin" diye anneme aldığı dört dönümlük çiçek serasıyla, annemin bankadaki bir miktar parası kalmıştı elimizde. Annem "ne yapar eder seni okuturum ama eski lüksü unut" dedi. Aslında, geniş bahçeler içine yayılmış o ışıklı üniversitede edebiyat okumam da bir lükstü artık ama annem okulu bırakmam konusunu tartışmayı bile reddetti.

Zavallı babam ziraat mühendisi olmamı istemişti ama ben edebiyat okumakta ısrar etmiştim. Bu kararımda, romanlardan oluşan bir kalenin içindeki maceralı yalnızlığa düşkünlüğüm kadar, hiçbir tercihin güvenli geleceğimi etkilemeyeceğine olan inancımın da payı vardı sanırım.

Babamın cenazesinden bir hafta sonra gece otobüsüyle üniversiteyi okuduğum şehre döndüm. Ertesi sabah burs için okula başvurdum. İyi bir öğrenciydim. Okul bana burs vermeyi kabul etti.

Bir arkadaşımla paylaştığım üç odalı, geniş salonlu evin kirasını ödemem artık mümkün değildi. Arada bir okul arkadaşlarımla gittiğim meyhaneler sokağındaki eski binalardan birinde kiralık bir oda buldum. On dokuzuncu yüzyıldan kalma, ön cephesi mor salkımlarla kaplı, siyah ferforjeden süslü korkulukları olan küçük balkonları bulunan altı katlı bir binaydı. Tel bir kafesin içinde duran ahşap bir asansörü vardı ama çalışmıyordu. Büyük bir ihtimalle bina bir han olarak inşa edilmişti, şimdi oda oda kiraya veriliyordu.

Birkaç parça giyim eşyasını ayırdıktan sonra bütün elbiselerimi, kitaplarımı, telefonumu, bilgisayarımı, başıma gelenlerden intikam alır gibi anlamsız bir hırsla çok ucuz fiyatlara eskicilere satıp odaya yerleştim.

Odada pirinç başlıklı bir yatak, yatağın başucunda eski usul ahşap bir komodin, balkon kapısının yanında tam ortasından çatlamış minicik yuvarlak bir masa, bir iskemle, kapının yanındaki duvara asılmış bir ayna bulunuyordu. Bir de dolap büyüklüğünde bir tuvaletle duş. Mutfağı yoktu. İkinci kattaki geniş bir salon ortak mutfak olarak kullanılıyordu. Tam ortada kaba tahtadan uzun bir masa ve iki yanında aynı tahtadan sıralar duruyordu. En aşağı elli yıllık Frigidaire marka kocaman bir buzdolabı hırıldayarak, arada bir sarsılarak çalışıyordu. Kenarda beyaz fayans döşeli bir tezgah, üstlerindeki porselen kaplamalarda "chaud" ve "froid" yazan eski bronz musluklarıyla bir lavabo, esrarengiz biçimde her zaman kaynayan ve içinde çay bulunan bir semaver, bir de televizyon ortak mutfağın ortak eşyalarıydı.

Odanın küçük balkonu çok güzeldi. Balkona çıkardığım sandalyeye oturup arnavut kaldırımı döşeli sokağı seyrediyordum. Akşam saat yediden sonra sokak kalabalıklaşmaya başlıyordu. Saat dokuzda artık sokağın taşlarını göremiyordunuz, birlikte nefes alıp veren, birlikte kabarıp genişleyen rengarenk bir kalabalık sokağı kaplıyordu. Anason, tütün, kızarmış balık kokulu bir bulut yükseliyordu sokaktan. Kahkahalar, ıslıklar, neşeli bağrışlar duyuluyordu. Sanki bu sokağa girdiğiniz anda, dışarda olup biten her şey unutuluyor, herkesi geçici bir mutluluk kaplıyordu. Artık parçası olmadığım o eğlenceyi uzaktan izliyordum.

Kiracılar yemeklerini mutfakta pişiriyorlardı. Malzemelerinin üstlerine adlarını yazıp buzdolabına koyuyorlardı. Kimse kimsenin malzemesine dokunmuyordu. Yoksul öğrencilerin, travestilerin, ünlü markaların sahtelerini yapıp satan Afrikalıların, gündelik işler peşinde koşan taşralı gençlerin, bar fedailerinin, cıvar lokantalarda çalışan komilerin yaşadığı bu binada anlaşılmaz bir düzen ve huzur vardı. Ortada bir yönetici gözükmüyordu ama binada herkes kendini güvende hissediyordu. Bu binada yaşayanların bir kısmının dışarda karanlık işlere bulaştıklarını herkes seziyordu ama o karanlık bu binanın içine sızmıyordu.

Ben yemek pişirmesini bilmiyordum. Yemekle uğraşmaya da üşeniyordum. Genellikle köşedeki bakkaldan yarım ekmekle peynir alıp yiyordum. Diğer yeni yoksullar gibi başıma geleni abartılı bir biçimde, gülünç bir acemilikle yaşıyordum.

Mutfağa "yemeğimin" yanında çay içebilmek için uğruyordum. Bir de her zaman kolsuz siyah bir atletle dolaşan, pazuları dövmeli bir bar fedaisinin hiç duyulmamış yemekler pişirip, onları o sırada mutfakta kim varsa ona yedirdiğini keşfetmiştim. Ananaslı bonfile, zencefilli lüfer gibi tuhaf yemekler pişiriyordu.

Binanın güvenliği kadar anlaşılmaz bir de istihbarat ağı bulunuyordu, herkes birbiri hakkında bilgi sahibiydi. Benim odamın yanındaki odada kalan Gülsüm isimli travestinin evli bir aşçıya âşık olduğunu, iki oda ötedeki gence herkesin "Şair" dediğini, takma adı Mogambo olan iriyarı zencinin gündüzleri çanta satıp geceleri jigololuk yaptığını, taşralı çocuklardan birinin amcasının oğlunu vurduğunu nasıl öğrendiğimi bilmeden öğrenmiştim. Sanki mutfağın duvarları fısıldayarak bilgileri yayıyordu.

Herkesle selamlaşıp bir iki kelime konuşuyor ama kimseyle arkadaşlık etmiyordum. Konuşmaktan hoşlandığım tek kişi Tevhide'ydi. Beş yaşındaydı, handaki tek çocuktu. Acemice kesilmiş kısa saçları, her şeye merakla bakan koyu yeşil kocaman gözleriyle parlak bir su damlasına benziyordu. İlk karşılaştığımızda küçük parmağıyla işaret edip ona doğru eğilmemi istemiş, kulağıma şaşırtıcı bir sır verir gibi "biliyor musun" demişti, "bin beş yüz diye bir sayı varmış." "Gerçekten mi?" demiştim şaşırmış gibi yaparak. "Yemin ederim," demişti, "bugün arkadaşım söyledi."

Tevhide'yle babasına mutfakta rastlamadığımda genellikle peynir ekmeğimi yiyip bir iki bardak çay içip odama çıkıyor, balkondan sokağı seyrettikten sonra satmaya kıyamadığım mitoloji sözlüğünü okuyordum. Binlerce yıla dayanan bir hayal gücü, insandan beter tanrılar, hiç bitmeyen savaşlar, aşklar, kötülükler, kıskançlıklar, ihtiraslar beni içine çekiyor, yaşadığım dünyayı bana unutturuyordu.

Sonbahar "bütün kaçınılmazlığı" ve haşmetiyle şehre yerleşmeye başlamıştı. Havalar serinlemiş, okul açılmıştı.

Bir akşam mutfakta yemek yerken adını bilmediğim birisi bana okul saatleri dışında bir işte çalışmak isteyip istemediğimi sordu. Parası azdı ama iş kolaydı. Hiç düşünmeden "evet" dedim. Her kuruşa ihtiyacım vardı. Bana üstünde "Dost Figürasyon" yazan bir kart verdi. Ertesi gün karttaki adrese gittim.

Bu bir yıl önceydi. O zamanlar yaşamın bir söz, bir teklif ya da bir tanıtım kartının minik dokunuşuyla bile yörüngesini tümüyle değiştirecek kadar içsel iradeden yoksun ve tesadüflere açık olduğunu henüz tam anlamıyla bilmiyordum.

II

Dört kat aşağıya indik, adam bir kapıyı itip açarak beni içeri soktu. Işıklı bir karanlığa girdim. Kubbeli bir tavanı olan yuvarlak ve geniş salonun girişinin tam karşısındaki muazzam bir ışık sağanağı ilk anda gözlerimin içinde patladı. Gözlerimi kapattım. Sonra yavaşça açtım. Tavana asılı spotların parlak ve saldırgan ışıklarının altındaki eşyalarla insanlar doğaüstü varlıklar gibi gözüküyorlardı. Karşıdaki duvarda dönen mor, eflatun, mavi ışıklar sürekli birbirleriyle yer değiştirerek spotların ısırıcı beyazlığıyla başa çıkmaya uğraşıyorlardı.

Spotların hemen altında yaklaşık otuz santim yüksekliğinde bir platform vardı. Platformun kenarlarına yarım ay biçiminde masalar dizilmişti, masaların çevresindeki sandalyeler saten kumaşlarla kaplanmış, arkalarına kocaman fiyonklar bağlanmıştı.

Platformun sol tarafında pembe gömlekler giymiş müzisyenlerden oluşmuş bir orkestra yerleşmişti.

Her spotun üst tarafında siyah bir siperlik olduğundan parlak beyaz ışık o siperliklerin üstünde gücünü kaybediyor, kademe kademe azalarak parıltısını yitiriyordu. Işık, kubbeli tavandan arka taraftaki duvarlara doğru yayıldıkça koyulaşıyor, salonun duvarlarına vardığında iyice kararıyordu. Işıkları karanlık duvarlar kuşatıyordu.

Işıklı platformla karanlık duvarlar arasına da sıra sıra masalar dizilmişti. Masalarda üçer dörder kişilik gruplar oturuyordu.

Arkadaki boş masalardan birine oturdum.

Platformdaki bir adam işaret edince masalarda oturanlar alkışlamaya başladılar. Mor, eflatun, mavi ışıkların yan tarafındaki görünmeyen bir kapıdan kırmızı tuvalet giymiş bir kadın çıkarak oynak bir şarkı söylemeye koyuldu. Şişmandı. Derin dekolteli elbisesi vücudunu sımsıkı sarıyor, memelerini, yuvarlak karnını, iri kalçalarını açığa çıkarıyordu. Şişmanlığını saklamaya çalışmıyor tam aksine özellikle dikkatleri etinin dolgunluğuna çekiyordu.

Ondan sonra çıkan bütün şarkıcılar da değişik renklerde ama aynı sıklıkta tuvaletler giymiş dolgun kadınlardı. Şarkıcılardan birinin cam göbeği rengindeki tuvaletinin üst kısmı danteldendi, sütyeni ve iri çıplak karnı dantelin altından gözüküyordu.

Hayatımda bu kadar çok şişman ve işveli kadını bir arada görmemiştim. Buranın estetik ölçüleri "yukarıdan" çok farklıydı. Yukardaki dünyada küçük göğüslü, dar kalçalı, düz karınlı, ince ve uzun bacaklı genç kadınlar modayken, burada dolgun göğüslü, iri kalçalı, yuvarlak karınlı, kalın ve sağlam bacaklı, esnek kıvrımlı olgun kadınlar revaçtaydı.

Kameraların çektiği görüntüler sol taraftaki duvara asılı dev bir ekrana yansıyordu. Sadece şarkıcıları değil arada bir seyircileri de gösteriyor, bazen bir seyirciye yakın çekim yapıyordu. Platformun üstündeki masalarda oturanların kıdemli seyirciler oldukları, buraya, buranın kurallarına aşina oldukları anlaşılıyordu. O masalarda oturan kadınlardan birine birden zoom yaptı kamera. Yüzü ekrana yansıdı. Kızıl-sarı dalgalı saçları, biraz önce şekil verilmiş gibi esnek bir yumuşaklığa sahip yanakları, kenarlarında ince çizgiler oluşmuş gözleri, uçları yukarı doğru hafifçe kıvrılan dudakları hemen fark ediliyordu. Ama asıl çarpıcı olan yüzündeki ifadeydi. Bir şaka yapmaya hazırlanır gibi muzip bir alaycılık vardı yüzünde. Gülmeye hazırdı. Daha fazla bakamadan yüz ekrandan kayboldu.

O kadın daha ilk anda dikkatimi çekmişti. O da bal rengi, diğerleri gibi derin dekolteli bir tuvalet giymişti, elbise dolgun vücuduna sıkı sıkıya yapışıyordu. Büyük bir ahenkle, yaptığından zevk alarak oynuyordu diğer seyircilerle birlikte oynamaya başladığında. Çıplak omuzları ışıkta parlıyordu. Kadınların yaşlarını kestirmekte pek usta değildim. Annem, "beyazlar nasıl çekik gözlü insanlar arasındaki farkları göremezse gençler de belli bir yaşın üstündeki insanların yaşlarını fark edemez" derdi. Doğru söylüyordu bence. Otuz yaşını geçen herkesin yaşı birbirine benziyordu. Gene de kırk beş-elli beş yaşları arasında olduğunu tahmin etmiştim.

Diğer seyircilerin çoğu kamera kendilerini fark edip çeksin diye abartılı hareketlerle oynarken onun hareketlerinde hiçbir abartı yoktu. Kalçaları çok güzeldi. Ama en garibi en şehvetli figürlerle vücudu salınırken bile dokunulmaz bir edası olmasıydı. Çok çekiciydi ama aynı zamanda anlayamadığım bir biçimde

14

yaklaşılmaması için uyaran bir şey hissediliyordu halinde. Yaşlı kadınların çekici olabileceğini daha önce hiç düşünmemiştim. Şaşırmıştım.

Çekim iki saat kadar sürdü. Bir ara ekranda kendi yüzümü de gördüm. Adını daha önce hiç duymadığım şarkıcılar adını hiç duymadığım şarkılar söylediler. Çoğunun sesi iyiydi. Hatta aralarından birkaçı ünlü yıldızlardan daha iyi söylüyorlardı ama anlaşılan hayatlarının bir dönemecinde zirveye giden yoldan ya nefesleri yetmediği, ya yanlış kararlar verdikleri, ya ihtirasları yeterince güçlü olmadığından sapmışlar, yalnızca varoşların seyrettiği bu televizyon kanalına düşmüşlerdi. Buna rağmen durumlarından şikayetçi bir halleri yoktu, aksine, kentin kıyılarından içeri sızamayan bu gizli şöhretlerinden memnun gözüküyorlardı.

Çekim bitince spotlar söndü, mavi, eflatun, mor ışıklar kayboldu, kubbeli tavandaki solgun ışıklar yandı. Masalar sandalyeler eskidi, yerlerin kirliliği ortaya çıktı, insanların yüzleri yorgunlukla sarktı. Rutubetlenmiş eski halı kokusu yayıldı.

Yavaş yavaş salon boşaldı. Bazıları giysilerini değiştirmek için kulise gitti, bazıları aceleyle uzaklaştı. Bir süre yerimde oturduktan sonra ben de kalktım. Salondan çıktım. Loş koridorun kenarında plastik iskemleler sıralanmıştı. Onlardan birine oturdum. Nereye gideceğimi bilmiyordum, bütün bu ışıklardan sonra odam gözüme epey soluk gözüküyordu.

Kuliste giysilerini değiştirenler birer ikişer önümden geçiyorlardı. Bina sessizleşiyordu. Badanaları eskimiş duvarların griliği koyulaşıyordu. Bir ayak sesi duydum. Bal rengi tuvaletli o kadın geliyordu, giysisini değiştirmiş, kum rengi, belini kuşağıyla sıktığı şık bir trençkot, küt topuklu koyu kahverengi süet ayakkabılar giymiş, saçlarını toplamıştı.

Önümden geçerken gözünün ucuyla bana baktı. Hiçbir şey söylemeden yürümeye devam etti. Topuk sesleri uzaklaştı. Topuk seslerini dinliyordum. Merdivenleri çıkıyordu. Durdu. Geri döndü. Şimdi sesler bana yaklaşıyordu.

"Bir şey unutmuştur" diye geçirdim içimden. Başımı önüme eğmiştim. Yerdeki kirli karolara bakıyordum. Koyu kahverengi süet ayakkabıları gördüm karoların üstünde. Burunları bana dönüktü.

– Öyle dertli dertli ne bekliyorsun?

Nabzım öyle hızlanmıştı ki bir an konuşamayacağım sandım.

– Hiç, dedim zorlukla.

– Yakında iyi bir lokanta var, dedi, ben orada yemek yiyeceğim. Gel istersen, birlikte yeriz. İki kişi her zaman bir kişiden daha iyidir.

İlk aklıma gelen yemeğe ödeyecek param olmadığıydı, ne düşündüğümü yüzümden mi anladı yoksa bunu söylemeye önceden mi karar vermişti bilmiyorum ama "ben ısmarlıyorum" dedi.

– Olur, dedim.

Kalktım, birlikte konuşmadan merdivenleri tırmanıp binadan çıktık, yürümeye başladık. Topuk seslerini dinliyordum. Anlayamadığım bir nedenden dolayı o ritmik ses beni heyecanlandırıyordu.

Vitrininde turşu ve komposto kavanozlarının dizili olduğu bir lokantaya girdik. İçerisi, herhalde vakit geç olduğu için boştu. Bir garson koşarak geldi, "Hoş geldiniz Hayat Hanım," dedi, "nerede oturmak istersiniz."

– Bahçede oturalım.

Sonra bana döndü.

– Üşümezsin değil mi?

– Üşümem, dedim.

Bahçe küçüktü, ortada fıskiyeli minik bir havuz vardı, üstü çardakla kapanmıştı, yerler betondu. Her yana birbiriyle ilgisi olmayan, hepsi birbirinden tuhaf heykelcikler gelişigüzel konmuştu, yedi cücelerden birinin kırmızı külahlı bir heykeli, bir ufak zürafa heykeli, alçıdan yapılmış bir Venüs, çardağa asılmış rengarenk seramik kuşlar, vaşağa benzeyen bir kedi, Sinderella olduğunu tahmin ettiğim maviye boyanmış bir prenses, elinde yıldızlı bir çubuk tutan bir melek...

Üstüne bordo örtü serilmiş masalardan birine oturduk. Elinde not defteriyle garson da peşimizden geldi.

– Ne içersin, dedi Hayat Hanım bana.

– Siz ne içerseniz...

– Rakı içelim mi?

– Olur.

Garsona döndü.

– Bize birer duble rakı getir lütfen, sizin o güzel mezelerinizden biraz ama çok getirme, biz iyi bir palamut yiyelim.

Gene bana döndü.

– Palamut yersin değil mi?

– Yerim, dedim.

Suya atılmış bir dal parçası gibi hissediyordum kendimi, öyle akıp gidiyordum.

Garson gittikten sonra, "Ee söyle bakalım," dedi, "neler yapıyorsun? Öğrenci misin?"

– Evet, dedim.

– Ne okuyorsun?

– Edebiyat.

– Ben hiç roman okumam.

– Niye?

– Bilmem, sıkılıyorum... Yazarların bildiği kadarını ben de biliyorum. İnsanlarla ilgili bildiklerim bana yeter, kimseden fazlasını öğrenecek halim yok.

– Siz neyle ilgilenirsiniz?

– Antropoloji, dedi.

Öyle beklenmedik bir cevaptı ki şaşkınlıktan ağzım açık bakakalmıştım ona. Tam da beklediği tepkiyi vermiş olmalıyım ki hayatımda duyduğum en neşeli kahkahayı attı. Kahkahasının içinde birçok ses birden duyuluyordu: Sabah kuşları, kristal parçaları, taşların üstünden sekerek akan berrak bir su, Noel ağaçlarına asılan minik çıngıraklar, elele koşan küçük kızlar.

– Bayılıyorum bu kelimeye, dedi. Bunu söylediğimde erkeklerin yüzünü görmek kadar eğlenceli bir şey yok bence. Bu kelimeyi sırf bu yüzden icat ettiklerini düşünüyorum bazen.

Durup gene gülüyordu.

– Sana takıldığım için alınmıyorsun değil mi?

– Hayır, dedim, alınmıyorum.

"Hoşuma gidiyor" diyecektim ama sustum.

– İsmin ne?

– Fazıl.

– Güzel bir isim.

– Sizin isminiz Hayat galiba, demin garson söylerken duydum.

– Aslında Nurhayat ama çocukluğumdan beri herkes Hayat der.

O sırada garson rakılarla mezeleri getirdi, Hayat Hanım tabakları masaya özenle kendisi yerleştirdi.

Tabakları yerleştirirken ben de ona bakıyordum. Olgun bir ışık vardı yüzünde, güzellik denemeyecek ama güzellikten daha çekici, içinde aldırmazlığın, alaycılığın, nerdeyse bütün insanlığı kucaklıyormuş gibi görünen küçümseyici bir şefkatin bulunduğu, insanı hem çeken hem de mesafesini koruması konusunda uyaran bir ışık.

– Neye bakıyorsun, dedi.

Yüzümün kızardığını hissettim, gözlerimi kaçırıp "dalmışım" dedim. Rakılara su koydu. "Hadi," dedi, "buranın mezeleri güzeldir. Ama sakın karnını çok doyurma, balığa yer kalsın."

Mezeler gerçekten çok lezzetliydi, çoktandır içki içmediğim için rakı hafiften başımı döndürmeye başlamıştı. Ona bakarken, bal rengi tuvaletiyle oynarkenki hali gözlerimin önünde belirip kayboluyordu.

Balıklar gelene kadar küçük sorular sorarak bütün hikayemi öğrenmişti, galiba her şeyi anlatmıştım. Bunun nasıl olduğunu anlamamıştım, aslında kendimden böyle söz etmeyi sevmezdim. Anlattıklarımı dinledikten sonra çok sakin, doğal bir biçimde uzanıp yanağımı şefkatle okşamıştı. Susmuştuk bir süre. Sessizliği de neşesi gibi doğal ve etkileyiciydi, dokunduğu yerdeki acıyı dindiren bir şifacının eli gibi onun sessizliğinde de karşısındakinin acısını dindiren bir şey vardı ya da bana öyle gelmişti.

Garson balıkları getirdiğinde "ben belgesel seyrederim sadece" dedi, bunun da "antropoloji" gibi bir şaka olduğunu sanmıştım ama ciddiydi.

– Niye, dedim.

– Çok eğlenceli ve çok şaşırtıcı, dedi. Milyarlarca insan on iki burcun içine sığıyor, binlerce yıllık bir tecrübeyle kendi cinslerinin sadece on iki burca sığacak kadar özelliği olduğuna karar vermişler... Ama sadece böceklerin üç yüz bin türü var, hepsi birbirinden farklı... Balıklar öyle... Kuşların yaptıklarına inanamazsın... Uzay ise çok esrarengiz ve ürkütücü, tek bir noktada, minicik bir noktada on bin galaksi olduğunu keşfettiler. Bunlar eğlenceli değil mi?

Konuşurken yüzündeki o alaycı ve sevecen gülümseme hiç eksilmiyordu, sanki Tanrı bütün evreni Hayat Hanım'ı eğlendirmek için yaratmıştı, o da bu eğlencenin hakkını veriyordu.

Shakespeare'i ve "to be or not to be"yi duymuştu.

– Bu mu, dedi, insanlığın sırrı... Ölümle hayat arasında bir tercih yapmak mı?

– O söz daha ziyade bir kararsızlığı ifade ediyor bence, dedim.

– Kararsızlık mı? Benim gördüğüm insanlar çok kararlı.

– Hangi konuda kararlılar?

Israrla aptalca kararlar vermek konusunda kararlılar... Tarih belgesellerini seyrederken aynı aptallığın sürekli tekrarlandığını görürsün.

– Nasıl aptalca kararlar?

Sanki sorumu duymamış gibi, "Hadi balığını ye, dedi, soğutacaksın... Bir rakı daha içelim mi?"

– Olur, dedim.

Garsona iki rakı daha söyledi.

Kesinlikle bir insanın bulabileceği en eğlenceli yemek arkadaşıydı, parlak ve sürükleyici bir anlatımı vardı, kendisi de dahil herkesi ve her şeyi küçümseyen edası anlatımına ayrı bir çekicilik katıyordu, çeşit çeşit konular ateş böcekleri gibi masanın üstünde dönüp duruyordu.

Edebiyatla ilgili neredeyse hiçbir şey bilmiyordu. Faulkner'i, Proust'u, Henry James'i hiç duymamıştı ama Hanibal'ı Kartaca'da yenen generalin Scipion olduğunu, Jül Sezar'ın savaşlarda kırmızı bir harmaniye giydiğini, yer kabuğunun sürekli kımıldayan bir ateş denizinin üzerinde yüzdüğünü, bazı kurbağaların

20

kışın cam gibi donup, o haldeyken düşmeleri halinde porselen tabak gibi kırılıp yazın yeniden canlandıklarını, leoparların babunlarla dövüştüğünü, termitlerin her akşam yuvalarındaki çöpü dışarıya taşıdıklarını ve bunun için çöpçü birlikleri olduğunu, karıncaların kurdukları yeraltı şehirlerinde tarım yaptıklarını, alet kullanan kuşlar olduğunu, yunusların sığ sularda kuyruklarıyla kuma vurup balıkları korkuttuklarını ve korkuyla dışarıya fırlayan zavallıları havada yakaladıklarını, aslanların ortalama on yıl yaşadıklarını, bazı cins örümceklerin balık avladığını, kaplan böceklerinin dişilerinin ırzına geçtiğini, yıldızların kendi kendilerine patlayıp yok olduklarını, uzayın hiç durmadan genişlediğini ve bunlara benzer birçok şeyi biliyordu.

Zihni en ucuz eşyalarla en değerli antikaların yan yana durduğu o tuhaf ve karışık dükkanlar gibiydi. Bütün bu bilgilerden çıkardığı sonuç, görebildiğim kadarıyla, hayata karşı neşeli bir aldırmazlık, eğlenceli bir küçümsemeydi. İnsanlardan ve hayattan öyle bir tavırla söz ediyordu ki sanki hayat onun için pazardan alınmış bir oyuncaktı, onunla oynayabilir, eğlenebilir, kırılmasından ya da kaybolmasından korkmayabilirdi.

Hayatımda hiç böyle birini görmemiştim.

Yemeğin sonlarına doğru, bir ara peygamber develerinden söz ederken, "sevişirken dişi erkeğin başını koparıyor," dedi. Sonra gözlerimin içine bakarak:

– Erkek başı koptuğu halde, dişiyi becermeye devam ediyor, diye ekledi.

Bütün içimin titrediğini hissettim. İlk defa bir kadının ağzından "becermek" kelimesini duyuyordum.

Yemek bittiğinde ayağa kalkarken başım döndü, ona hissettirmemeye çalışarak yavaşça masaya tutundum.

Lokantadan çıkınca "nerede oturuyorsun" dedi.

– Çok yakında, dedim.

– İyi, dedi.

Eliyle işaret ederek önümüzden geçen bir taksiyi durdurdu, beni yanağımdan öpüp "görüşürüz" diyerek arabaya bindi. Araba gitti. Ben de ağır adımlarla yürümeye başladım.

Gökyüzü, sonbahar gecelerine özgü koyu bir pusun içine hapsolmuştu. Kendine çarpan şehrin ışıklarını yeniden sokaklara yansıtıyordu. Yansıyan ışıklardan dumansı parlak bir gece aydınlığı yayılıyordu. Küçük odalarında kaçak tekstil atölyelerinin, karton imalathanelerinin, lüks markaların kopyalarını üreten korsan şirketlerin, plastik malzeme imalatçılarının, turizm şirketi kılığında insan kaçakçılığı yapan büroların yerleştiği taş binaların karanlık duvarlarına şehrin puslu, solgun beyazlığı vuruyordu. Bazı binaların alt katlarındaki yeni yeni açılan sergi salonlarının, eski mobilyaların replikalarını satan sahte antikacıların vitrinleri ışık vahalarını andırıyordu. Bu sokaklar, bir kimlik değişimine hazırlanırken gelişmeleri aniden durmuş, ortaya sarsak bir zıtlık çıkmıştı.

Yemeğe davet edildikten sonra beğenilmemiş, sokak ortasında terkedilmiş, her şeyin olabileceği ama hiçbir şeyin olmadığı bir gecenin içinde yapayalnız kalmıştım. Beğenilmemek, kendi hayalimdeki görüntümün yansıdığı içimdeki gizli aynayı parçalamış, hayalimdeki ben dağılıp gitmişti. Geride titrek bir beden kalmıştı. Beni ben yapanın, bütün varlığımı bir arada tutanın o gizli görüntü olduğunu, ayna parçalanınca farketmiştim. Zihnimin tüm duyguları ve düşünceleriyle üstüne yerleştiği, en önemli parçam olan o gizli aynanın nasıl bu kadar kolay kırıldığını anlayamıyordum.

Ben ne zaman, ilk rüzgârda kırılıp yıkılacak bir dut ağacı gibi içten içe çürüyüp güçsüzleşmiştim? Bir başkasının beni beğenmemesi karşısında kendimi koruyacak o sağlam güveni nerede kaybetmiştim? İlk karşılaşmada canımı yakmıştı ve benim canımı yakmak için kelimenin tam anlamıyla hiçbir şey yapmamıştı. Hiçbir şey yapmamayı onun kadar iyi bilen kimsenin olmadığını daha sonra anlayacaktım.

O gece yaşadıklarımı ona anlattığımda pişmanlık dolu bir sesle, "hay Allah" demişti, "o kadar kırılgan olabileceğin hiç aklıma gelmedi." Ama sonra öyle masum bir neşeyle gülmüştü ki pişman olduğuna inanmam çok zorlaşmıştı.

Beğenilmemenin sarsıntısı diğer bütün acılarımı da canlandırmıştı, sanki acılardan oluşan bir balyanın ipi kopmuş, o balyadaki bütün acılar havaya savrulmuştu: Babamın ölümü, aniden gelen yoksulluk, yalnızlık, çaresizlik, bir yılan ısırığından yayılan zehir gibi içime yayılmıştı.

Birçok insan gibi bir acıya karşılık kendimi koruyabilmek için diğer acıları ayaklandırıp onları kalkan gibi kullandığımı daha sonra farkedecektim. Ama epey sonra. Böyle şeyleri insanın yaşarken anlayabilmesi için benim o zamanlar sahip olmadığım bir görmüş geçirmişliğe, "gerçek hayatla" çarpışarak şekillenmiş bir olgunluğa ulaşmış olması gerektiğini bana zaman öğretecekti.

Hana yaklaşırken elleri sopalı iri yarı sakallı adamlardan oluşmuş ürkütücü gruplara rastladım. Bunları duymuştum. Kalabalık lokantalara saldırmıyorlardı ama lokantalardan çıkanları ıssız yerlerde sıkıştırıp dövüyorlardı. Geçenlerde bir resim sergisine güpegündüz saldırıp "burada içki içemezsiniz" diye dövüp resimleri parçalamışlardı. Eğlencenin her türünden ve kendilerine benzemeyen herkesten nefret ediyorlardı.

Korktum. Kederime bir de korku eklendi. Herkes, her şey beni aşağılıyordu sanki.

Yolumu uzatıp arka sokaklardan "eve" vardım. Mutfağa uğramadan doğruca odama çıktım.

III

Her cumartesi günü olduğu gibi iki sokak ötedeki telefon kulübesinden annemi aradım. Babamın ölümünden sonra sesine yerleşen kederi gizlemeye çalışarak konuşuyordu ama benimle ilgili endişelerini gizleyemiyordu, "nasılsın, sağlığın nasıl, yemek yiyor musun, kaldığın yerde rahat mısın, okul nasıl gidiyor, derslerin iyi mi, para durumun nasıl?"

İyi olduğumu söyledim.

Babamın öldüğü gerçeğinin onun benliğine artık sıkıca yapıştığını sesinden anlıyordum. Ben o gerçeği kavramakta hâlâ zorlanıyordum. Cenazeden sonra okula döndüğüm o gece otobüste giderken, limon kolonyası ve plastik koltuk kılıfı kokularının arasında birdenbire babamın öldüğü gerçeğini fark edivermiştim. "Öldü" diye düşünmüştüm. Babam o anda, orada, karşıdan gelen arabaların farlarının yalayıp geçtiği kaygan boşluğun içinde ölmüş gibi büyük bir dehşete kapılmıştım. Ölümün geri dönüşü olmayan bir son olduğunu, onu bir daha görmeyeceğimi, onun bir daha hiç kımıldamayacağını, konuşmayacağını, birisi yüzüme kızgın bir demirle bastırıyormuş gibi acıyla hissetmiştim. Gözlerimle gördüğüm gerçeği o âna kadar benden gizleyen, o gerçeğe inanmamı engelleyen şey her neyse o birdenbire eriyip yok olmuş, gerçek karşıma çıkmıştı. Bir yandan onun öldüğünü, yok olduğunu aklım jilet gibi keskin bir berraklıkla kavrıyordu ama bir yandan da belleğim onun konuşuşunu, gülüşünü, yürüyüşünü bütün canlılığıyla bana gösteriyordu. Bir daha hiç görmeyeceğim birini görüyor, bir daha hiç sesini duymayacağım birinin sesini duyuyordum. Bu tuhaf zıtlık kederimi daha da artırıyordu. Niye ölecek kadar çok üzülmüştü? Başarısız damgasını yemeye mi tahammül edememişti? Gelecekte olabilecekleri hiç düşünmeden hareket ettiği için mi kendisine böyle kızmıştı? Bunların cevabını hiçbir zaman bilemeyecektim. Bütün bunlar niye oldu diye düşünürken uyumuştum. Uyandığımda babamın ölümü gene o kalın perdenin arkasına saklanmış, inandırıcılığını yitirmişti.

Annem yanına bir yardımcı almış, iki çiçekçi dükkanıyla anlaşmış, onlara çiçek veriyormuş.

– Biraz para kazanıyorum, dedi. Senin paraya ihtiyacın var mı?

– Yok anneciğim, ben de okul dışında bir iş buldum, idare ediyorum.

– Okulu ihmal etmiyorsun, değil mi?

– Hayır anneciğim.

Neden bilmiyorum ama annemle konuştuktan sonra içime iyice sıkıntı basmıştı. Onun kederli ve endişeli olduğunu biliyordum ve elimden bir şey gelmiyordu.

Babamla ikisi gördüğüm en mutlu çiftti, kimsenin bilmediği eğlenceli bir sırrı paylaşır gibi bir halleri vardı. Bana her zaman büyük bir sevgiyle ve şefkatle davranırlardı, bunu inkâr etmek nankörce bir yalan olur. Onları hep yaz akşamüstleri yalının önündeki iskelede birlikte gülerken hatırlıyorum. Yanlarına giderdim, beni gördüklerinde kısacık bir sessizlik olur, sonra benimle konuşmaya başlarlardı. Hep aynı tuhaf duyguya kapılırdım, içinde bulundukları bir odadan çıkıp kapıyı kilitlediklerini, beni içeri almadıklarını, benim yanıma geldiklerini hissederdim. Ben içeri giremiyordum, onlar dışarı çıkıyorlardı. Belki gerçek böyle değildi ama bende bıraktığı izlenim buydu. "Dışarda" kaldığımı hissederdim ama çok da aldırmazdım, ben de kitaplarla onlar da dahil herkesi dışarda bırakan bir dünya kurmuştum. Hepimizin kendini iyi ve mutlu hissettiği bir dengeydi bu, güzel ve huzurlu bir aileydik. Mutlu ailelerde insan hayat hakkında çok fazla şey öğrenemiyor, bunu şimdi anlıyorum, mutsuzluk öğretiyor insana hayatı.

Yağmur çiseliyordu. Yürümeye başladım. Ne yapacağımı bilmiyordum. Eski arkadaşlarımla buluşmayı kesmiştim, yeni bir arkadaşım da yoktu.

Tatil günleri yalnızlar için zordu. Bunu öğrenmiştim.

Yürürken Hayat Hanım'la karşılaşmayı hayal ediyordum, bir köşeden karşıma çıksa... Bunun imkânsız olduğunu biliyordum ama gene de ümitle etrafa bakmaktan kendimi alamıyordum. Sokaklarda bir kadını arıyordum. Zengin olduğumuz günlerde böyle bir şey yapar mıydım, sokaklarda böyle yapayalnız, bir kere gördüğüm bir kadına rastlama hayaliyle dolaşır mıydım? Parasızlık kısa zamanda benden çok şey eksiltmiş, paradan çok daha fazlasını alıp götürmüştü. Kabuğu üzerinden kaldırılıp alınmış bir kaplumbağa yavrusuna benziyordum, çaresiz, korumasız, dirençsiz bir haldeydim. En küçük bir esintiyi, sıcağı, soğuğu, en minik otların yumuşaklığını, en ufak taş parçalarının pürtüklerini vücudumun her yanında, zihnimin her köşesinde büyük değişimler gibi hissedip, her değişimde ayrı bir biçimde titriyordum. Kalın ve sıcak kabuğumun bu kadar çabuk kopartılabileceğini hiçbir zaman düşünemezdim. Parayı çıkarıp aldıklarında benden geriye çok az şeyin kaldığını görmek beni utandırıyordu.

Sahaflar Pasajı'na gitmeye karar verdim. Orası her zaman kalabalık olurdu. Ben de aralarına karışırdım. Taş, toz ve eski kâğıt kokan loş pasajın içi tahminimin aksine boştu. Benden başka üç dört müşteri dolaşıyordu dükkanların arasında. Bazı dükkanlar kapanmıştı, vitrinlerine gazete kağıdı yapıştırmışlardı. Can çekişen bir hasta gibiydi pasaj. Bir dükkancıya "ne oldu buraya" dedim, omuzlarını silkti, "artık kimse gelmiyor," dedi, "yakında yıkacaklar zaten burayı." İnsanlar kitapları terk etmişlerdi. Bunun olabileceğine asla ihtimal vermezdim. Her zaman kitapları seven birileri olurdu ama artık yoklardı.

Dükkanlardan birine girdim. Yaşlıca bir adam olan dükkan sahibi kitap okuyordu, başını kaldırıp bana baktıktan sonra hiçbir şey söylemeden başını yeniden okuduğu kitaba eğdi. Kitapları karıştırırken, tavana kadar yığılmış eski kitapların ortasındaki bir boşlukta, camı eskilikten matlaşmış, ince çerçeveli bir resim gördüm. August Sander'in *Dansa Giden Üç Köylü* fotoğrafının bir kopyasıydı. Eğlenceye gitmek için koyu renk elbiselerini giymiş köylülerin yüzündeki ifade, büyük bir hazza hazırlanmanın heyecanının aşırı bir ciddiyetle çizgilerinde belirginleşmesi çok etkileyiciydi.

Resmi parmağımla gösterip "kaç para" dedim. Sanırım sesimde, bütün servetini bir resme vermeye hazır bir adamın heyecanlı cömertliği seziliyordu. Cebimdeki "servetin" pek de bir servet sayılamayacağını tahmin etmek hiç de zor değildi.

Adam düşünceli bir halde başını kaldırıp yüzüme baktı. Hiçbir şey söylemeden bakıyordu. Gözlerinde zamanın geriye doğru hiç acele etmeden aktığını, yılların ağır ağır geçerek geçmişe doğru yığıldığını, belki büyük bir aşkı, belki çok sağlam bir dostluğu bulduğu bir yere vardığını sanki gördüm.

– Senin olsun, dedi.

Şaşırdım. Kabalık ettiğimi bile fark edemeden gene sordum.

– Kaç para?

O da aynı durgun sesle sözlerini tekrarladı:

– Senin olsun.

Yerinden kalktı, resmi indirdi, kahverengi kalın bir ambalaj kağıdına sarıp bana uzattı. Çok şaşırmıştım, çok utanmıştım, çok sevinmiştim. Beni bu kadar sevindiren resim değildi, adamın altı hiç çizilmemiş, vurgulanmamış cömertliğiydi. Yüzündeki ifadeye yansımayan dostluğuydu.

Neşeyle çıktım dükkândan. Duygularım çok hızlı değişiyor, bir uçtan bir uca rahatça savruluyordu. Yoldan yarım ekmekle peynir alıp hana döndüm. Paketi açıp resmi başucumdaki komodinin üstüne koyup duvara dayadım. Oda birden değişmişti. Tek bir resim odayı değiştirmişti. Orası şimdi benim evim olmuştu.

"Yemeğimi" yemek için mutfağa indim. Masanın etrafı kalabalıktı. Maç seyrediyorlardı. Çoktandır maç seyretmemiştim, halbuki futbolu severdim. Ne garip, futbolu sevdiğimi unutmuştum. Kendime bir çay koyup ben de masaya oturdum, maçı seyretmeye başladım. Maçı seyredenler arasında, yırtmaçlı eteği, ağır makyajıyla "işe" gitmeye hazırlandığı anlaşılan Gülsüm de oturuyordu. Büyük bir heyecanla maçı seyrediyordu. Bir pozisyonda, "yuh", dedi, "bal gibi faul." Ben şaşkınlıkla Gülsüm'e baktım ama benden başka şaşıran olmamıştı, onun yorumlarına alışkın oldukları anlaşılıyordu. Biraz sonra Gülsüm, "o sağ beki değiştirmezse maçı kaybedecek," dedi. O bunu söyledikten sonra antrenör sağ beki değiştirdi. Masanın başındakilerden biri Gülsüm'e, "seni teknik direktör yapmaları lazım," dedi, Gülsüm, "takımı öyle bir motive ederim ki acayip oynarlar," dedi. Herkes güldü. Ben başımı öne eğip ekmeğimi ısırdım.

Maçın bitmesini beklemeden odama çıktım. Akşam televizyonda çekim vardı. Hayat Hanım'ı yeniden göreceğim için heyecanlıydım, eğer gene yemeğe gidersek neler söyleyeceğimi, nasıl davranacağımı aklımdan geçiriyor, cümleler hazırlıyordum. Öyle aptal küçük bir çocuk gibi davranmayacaktım bu sefer.

Dışarıya çıktığımda sokak kalabalıklaşmaya başlamıştı. Yürüyerek televizyona gittim. Dört kat aşağıya inip ışıklı karanlığa girdim.

Hayat Hanım yoktu. O akşam gelmedi. Halbuki ben onun her akşam oraya geleceğine, kimse bana öyle bir şey söylemediği halde, inanmıştım. Kendimi ihanete uğramış, aldatılmış, aşağılanmış hissediyordum. Bu duyguların anlamsız olduğunu bilecek kadar aklım vardı ama bu duyguları hissetmeme engel olacak gücüm yoktu. Sanki duygularım benim dışımda, benden bağımsız bir at sürüsü gibi koşuyordu, onları durduramıyordum, üstelik sık sık da yön değiştiriyorlardı.

Dar elbiseleri içinde dolgun vücutlu kadınlar şehveti ve davetkarlığı açıkça vurgulanan figürlerle dans ederek şarkılar söylüyorlardı. Bazıları daha iyi oynayabilmek için ayakkabılarını çıkarıp sahnenin ortasında bırakıyorlardı. Bir kadının ayakkabılarını çıkartıp çıplak ayaklarla oynamasının, bunun yarattığı mahrem çağrışımların ilk kez farkına varıyordum.

Kısa boylu, beyaz bir fötr şapka giymiş, saçlarını ensesinde kuyruk yapmış, güneş gözlüklü, kısa boylu bir klarnetçi zaman zaman şarkıcıların yanına gelip onların yanında da çalıyordu. O kadar kısa boyluydu ki klarnetiyle neredeyse aynı boydaydı. Pembe gömleğini pantolonunun üstüne sarkıtmıştı.

Çekime ara verildiğinde ben de diğerleriyle birlikte koridora çıktım. Koridorun sonunda küçük bir büfe vardı. Oradan bir bardak çayla bir tost aldım. Kenardaki plastik sandalyelerden birine oturdum. Yanımdaki sandalyelere iki kadın oturdu, dar etekler giymişler, epeyce abartılı makyaj yapmışlardı. Kolsuz ve dar bluzları vücutlarına yapışmış gibiydi. Ben yokmuşum gibi bana hiç aldırmadan kendi aralarında konuşuyorlardı. Bir tanesi, "o platformda hangi seyircilerin oturacağına kim karar veriyor?" dedi. "Kameralar en çok o platformdakileri gösteriyor." Diğeri güldü, "orada oturmak için rejisör yardımcısının gönlünü yapmak lazım," dedi, "kimin oturacağına o karar veriyor." İlk soruyu soran, "o rejisör yardımcısını bana göstersene," dedi, "onunla bir konuşayım." Kendine güveniyordu.

Duyduklarımdan hem utanmış hem de Hayat Hanım'a hakaret ettiklerini düşünerek kızmıştım. Benim bildiğim, kitaplarda okuduğum kadınlara hiç benzemiyorlardı. Bayağılıklarında bir çekicilik bulduğumu fark edince nerdeyse telaşla yerimden kalkıp salona girdim.

Çekim bittikten sonra herkesten önce çıktım. Yalnız başıma yürüdüm. O sopalı adamlara rastlamaktan korkuyordum ama belki de erken olduğu için ortalıkta gözükmüyorlardı. Hanın önündeki sokaktaki kalabalığın arasından insanlara çarpa çarpa geçtim, eski arkadaşlarıma rastlarım endişesiyle acele ediyordum.

Sokaktakilerin çoğunluğu gençti. Kızlar güzel kokuyorlardı, parfümleri sokağın yoğun kokusunun arasında bile fark ediliyordu. Odama çıktım. Üç köylü oradaydı. Onları unutmuştum. Siyah elbiselerini giymişler düğüne gidiyorlardı. Balkona çıkıp aşağıya baktım. Hafta sonu olmasına rağmen kalabalık her zamankinden daha az görünüyordu.

Hayat Hanım ertesi gün de gelmedi.

Çekim başladı. Salonun lambaları söndü, spotlar yakıldı, mavi-eflatun-mor ışıklar sahnenin arkasında parladı. İlk şarkıcı şarkısını söylerken arkamdaki kapının açıldığını duydum, içeri biri girdi, benim oturduğum masanın öbür yanına çekingen biçimde oturdu. Genç bir kızdı. Dümdüz sahneye baktığı için yüzünü tam göremiyordum. Arkasına bile yaslanmadan sandalyenin ucunda oturuyor, hiç kıpırdamıyordu. Alkışlara katılmıyordu.

Ara verilip salonun ışıkları yandığında dönüp ona baktım, o sırada o da bana doğru dönmüştü. Asil bir yüzü vardı. O yüzü görünce insanın ilk düşündüğü bu oluyordu: Asil bir yüzü var. Usta bir heykeltraşın özenle yonttuğu pürüzsüz mermerden, kanatları dolgunca, keskin çizgili bir burun. Uçlara doğru incelen, kalınca kaşlar. Hafifçe bombeli, bol kirpikli gözler. Dümdüz bakan, sizi hiç ilgilendirmeyen bir şeyler düşünen ve sizinle hiç ilgilenmeyen iri siyah gözbebekleri. Geniş ve parlak bir alın. Işıltılı buklelerle omuzlara dökülen gür siyah saçlar. Şehvetli olacağını düşündüren ama aksine alabildiğince ciddi bir ifade taşıyan dudaklar. Ve bütün çizgilere yerleşmiş bir yukardan bakış, yadırgayan ve aşağılayan bir ifade.

Kızın yüzüyle çevredeki görüntüler arasındaki uyuşmazlık öylesine inanılmaz ve şaşırtıcıydı ki bir an bilincimde oluşan bir çatlaktan bilinçaltının gerçeklere aldırmayan fantastik dünyasına düştüğüm duygusuna kapıldım. Bu yüz bu salonda olamazdı. Ama buradaydı. Bir yerden buraya düşmüştü.

– Dışardaki büfede çayla tost var, dedim. Kendime alacağım, sen de ister misin?

– Tost iyi mi?

– İyi.

– Yemek için koridora çıkmamız mı gerekiyor yoksa burada yiyebilir miyiz?

Dışarı çıkmak, seyircilerin arasına katılmak istemediği anlaşılıyordu. Oranın kurallarını bilmiyordum ama "burada yiyebiliriz" dedim.

– Olur, dedi.

Koridora çıktım. Huzursuz edici bir uğultu yükseliyordu. Görüntüleri de bir tuhaftı, bazılarının üstünde uzun tuvaletler vardı, bazıları ucuz basma elbiseler giymişlerdi. Erkeklerin çoğu yaşlıydı, saçlarını özenle taramışlar, uyumsuz kravatlar takmışlardı, kadınlara çapkın gözlerle bakıyorlardı. Bir gün önce rastladığım iki kadının rejisör yardımcısını bir köşede sıkıştırdıklarını gördüm. Adamın yüzünde arsız bir gülümseme görülüyordu. Kadınlar adama iyice sokulmuşlardı. Biri, konuşurken adamın gömleğinin yakasını iki parmağıyla tutarak usul hareketlerle ovalıyordu.

Başımı çevirdim.

Büfeden iki çayla iki tost aldım, plastik bir tepsiye koyup içeri döndüm. Kız bıraktığım halde oturuyordu, sanki hiç kımıldamamış, nefes bile almamıştı. Çayla tostu verince "mersi" dedi. Evdeki hizmetçiye de aynı tonda "mersi" dediğine emindim.

– Öğrenci misin, dedim.

– Evet.

– Ne okuyorsun?

İsteksizce, konuşmak istemiyormuş gibi, "edebiyat" dedi.

– Ben de edebiyat okuyorum, dedim heyecanla.

Kuşkulu bir ilgiyle baktı yüzüme. Tostunu zarif biçimde ısırdı, önüne bakarak düşündü.

– Edebiyat tarihinden bir on beş sayfa seçme hakkı verselerdi sana, hangi on beş sayfayı sen yazmış olmayı isterdin?

Bunun, *Küçük Prens*'teki "şapka" resmi gibi bir test sorusu olduğunu anlamıştım. Doğru cevabı verirsem dost olacaktık, yanlış cevap verdiğimde bir daha benimle ilgilenmeyecekti. İçgüdüsel biçimde kızın beğeneceği cevabın ne olacağını bulmaya çalıştım ama bunun imkansız olduğunu anlayınca kendi düşüncemi açıkça söylemeye karar verdim.

– *Deniz Feneri*'ndeki Zaman Geçiyor bölümü.

Kızın yüzünde ilk anda beliren büyük şaşkınlığın bir gülümsemeye dönüştüğünü gördüm.

– İyi seçim, dedi.

O sırada seyirciler salona girdi, lambalar söndü, spotlar yandı. Usulca, "adın ne" dedim, "Sıla," dedi, "seninki ne?" "Fazıl," "İyi."

Sahneye döndük. O iki kadının platformdaki masalardan birinde oturduklarını gördüm.

Çekim bitince hiç konuşmadan birlikte çıktık.

– Nereye gideceksin, dedim.

– Şuradan otobüse bineceğim ama biraz yürüyebiliriz. İlerden binerim.

Yürürken hikâyesini anlattı. *Deniz Feneri* bana koşulsuz biçimde güvenmesini sağlamış, benim, onun nefretle telaffuz ettiği "onlardan" olmadığıma karar vermişti.

– Bir gece polisler evimizi bastı, dedi.

Babası büyük bir holdingin sahibiymiş, bir koruluktaki bir villada oturuyorlarmış.

– Ağaçlar çok güzeldi, dedi.

Babasının şirketinin yüzde iki ya da üç hisseye sahip küçük ortaklarından birini "hükümete komplo düzenlemekten" tutuklamışlar, o adamı bahane ederek babasının bütün şirketlerine de el koymuşlar.

– Bu mümkün mü, dedim.

– Artık mümkün, dedi.

Bir süre sessizce yürüdük.

– Evi aramaları dört saat sürdü, dedi, sonra evi hemen terk etmemizi söylediler. Sadece tek bir valiz almamıza izin verdiler. Bizi geceyarısı evden attılar. Çıkarken valizi, annemle benim çantalarımızı da aradılar. Kredi kartlarımızı da aldılar, zaten almasalar da bir şey fark etmezdi, bankadaki bütün paralara da el koymuşlardı.

Durgun ve sakin bir konuşması vardı. Cümlelerinin arasına bazen uzun boşluklar yerleştiriyordu. Ağır akan bir nehri anımsatan bu yavaş ve telaşsız konuşma, garip biçimde dinleyenin dikkatini canlı tutmayı başarıyor, konuşmasındaki bu heyecansızlık karşısındakinin heyecanını sürekli besliyordu. Bunda, güzelliği, sır verir gibi derinden gelen, deniz diplerindeki gelgitleri andıran dış dünyaya kapalı sesi kadar, zekânın ele gelmez, anlatılmaz kokusunun sözlerine sızmasının da payı büyüktü.

Kendi duygularının çarpıp yankılanacağı hiçbir duygu ya da insan olmadığına inanmanın getirdiği yalnızlığın umursamazlığı ile anlatıyordu:

– Geceyarısı tek bavulla evden çıktık. Babam polislere itiraz etmeye çalıştı ama polisler "fazla uzatma şimdi seni tutuklarız" dediler. Babamın avukatlarını aramasına izin vermediler. Annemle babamın cep telefonlarına bile el koydular, nedense benimkini bıraktılar... Evin yakınında küçük bir park vardı, oraya gittik.

Uzunca bir zaman sustu.

– O parktaki halimizi herhalde hiç unutmayacağım, dedi, elimizde bir bavulla bir ağacın altına oturduk... Sabahleyin zengindik, hatta akşam yemeğinde bile zengindik, geceyarısı evsiz, parasız yoksullar olmuştuk.

Güldü.

– Sinderella gibi, dedi, geceyarısı hayatımız balkabağına dönüşmüştü.

Yeniden ciddileşti.

– Nereye gideceğimizi, geceyi nerede geçireceğimizi bilmiyorduk. Annem, "tanıdıklardan birine gidelim, geceyi orada geçirelim," dedi, babam "bizi evlerine almaya korkarlar," dedi, "insanları bizi reddetmek zorunda bırakmayalım." Babamın doğru söylediğini biliyorduk, zaten daha sonra da kimse semtimize uğramadı... Biliyor musun, zenginler korkak oluyor, paraları arttıkça korkuları da artıyor. Ama insan bunu yoksullaştığında fark ediyor, zenginken bu korku insana doğal geliyor...

Durup, "korkaklar" diye mırıldandı, sonra devam etti:

– Babamın bir kuzeni vardı, Hakan, babam ona iki odalı bir stüdyo almıştı, üniversitede asistandı... Hakan bir yıllık bir burs alıp Kanada'ya gitmişti, giderken de anahtarı bana bırakmıştı. Arada birini yollayıp temizletirsin demişti, arkadaşlarınla ders çalışmak istediğinde de orada kalabilirsin.

"Arkadaşlarla ders çalışmak için bir ev" dikkatimi çekmişti, bunun nasıl bir ders olabileceğini düşünmüştüm ama bir şey demedim.

– Bende Hakan'ın anahtarı var, dedim, oraya gidebiliriz. Babam, Hakan'ın anahtarı sende ne arıyor, dedi. Babalar hep babadır. Annem, "Muammer şimdi sorun bu mu" dedi. Bir de yağmur başlamıştı. Hakan'ın evine gittik. Bizim evin banyoları bile Hakan'ın evinden büyüktür. İki oda ama odaların arasında kapı yok. Oraya yerleştik. Hâlâ orada oturuyoruz... Babam ertesi gün holdingin avukatlarından birini buldu, el koyma kararına itiraz etsin diye. Adam akşama babamı aramış, yargıç dosyaya bile bakmadan itirazı reddetti, bence siz de bu işle fazla uğraşmayın, tutuklanmadığınıza şükredin, demiş... Babamın herhalde yurt dışında bir miktar parası vardır ama pasaportlarımıza da el koydular, yurt dışına gidemiyoruz... Babam günlerce iş aradı... Bir iki küçük şirkette muhasebecilik buldu ama her seferinde iki gün sonra işten bir neden göstermeden çıkardılar.

– Şimdi ne yapıyor, dedim.

– Halde kabzımalların irsaliyelerini hazırlıyor, biraz para veriyorlar bir de ezilmiş meyvelerle sebzeler...

Yaşadıklarından intikam almak ister gibi alaycı bir biçimde güldü.

– Annem ezik meyvelerin sağlam yerlerini ayıklamakta uzmanlaştı.

– Okulu nasıl hallettin, dedim.

Bizim üniversitenin rakibi olan çok ünlü ve çok pahalı bir üniversiteye gittiğini söylemişti.

– Babam bir yıllık parayı peşin ödemişti, onun için bu yıl bir sorun yok... Gelecek yıl burada kalırsam burs isteyeceğim.

– Gitmeyi mi düşünüyorsun?

– Pasaportumu geri almaya uğraşıyorum. Alırsam Hakan'ın yanına Kanada'ya gideceğim.

– Annenle baban?

– Onlar da gitmemi istiyorlar. Gelebilirlerse sonra onlar da gelecek. Ama gitsem onlar da rahatlar biraz, o kadar küçük yerde bir arada yaşamak onlar için de zor oluyor.

– Bu işi nasıl buldun, dedim.

Kim olduğunu hatırlayamadığı biri okulda ona bu işten bahsedip, benim de gittiğim figüran şirketine yollamış.

– Seyircilerin arasında babamın eski arkadaşlarından birisinin de eşini gördüm galiba ama emin olamadım, dedi.

Sonra o bana sordu.

– Sen buraya nasıl düştün?

Ben de ona kendi hikâyemi anlattım.

– Sürgünde karşılaştık desene, dedi.

– Evet, dedim, sürgünde karşılaştık.

Öyle dedim ama aslında kabukları koparılmış iki kaplumbağa yavrusu olduğumuzu düşünüyordum, iki kabuksuz kaplumbağa gibi birbirimize sokuluyor, birbirimize sığınmaya uğraşıyorduk. Eğer koparılmamış olsaydı kabuklarımız birbirine çarpar, birbirimize sokulmamızı önlerdi, hikâyelerimizi bu kadar çabuk anlatmazdık. Biz anlatmamak üzere eğitilmiştik, kimliğimizi sırtımıza yazarlar, kabuğumuzu sıkıca üstümüze kapatırlardı, böylesine çabuk ele vermezdik kendimizi.

Biraz daha yürüdükten sonra "ben yoruldum" dedi, "şuradan otobüse bineyim." Otobüs durağında beklemeye başladık. Susmuştu. Bir şey düşünür gibiydi. Sonra aniden karar verip "sana telefon numaramı vereyim, telefonuna kaydet, haberleşiriz," dedi.

– Benim telefonum yok.

Sanırım bir an telefon numaramı ondan sakladığımı düşünüp yüzüme kuşkuyla baktı. Telaşla "sattım" dedim, "bütün eşyalarımla birlikte telefonumu da sattım." Sonra aynı telaşla ekledim.

– Sen bana telefonunu ver, ben seni dışardan ararım.

– Aklında tutabilir misin numarayı?

– Tutarım.

Telefon numarasını söyledi. Bunu *Deniz Feneri*'ne borçlu olduğumu biliyordum.

– Ne zamanlar arayabilirim, dedim.

– Ne zaman istersen.

Otobüsü geldi. Otobüse bindi. Gitti.

Pazar günü olduğu için televizyon binasının çevresindeki yollar bomboştu. Kimse yoktu. Yürüyerek hana döndüm. Mutfağa girdim. Siyah atletli bodyguard yemek pişiriyordu.

– Yer misin, dedi.

– Ne pişiriyorsun?

– Kıymalı yumurta, dedi, acıktım.

– Gerçekten mi? İçinde başka bir şey yok mu?

– Yok... Acıktım dedim ya...

– Pişirdiğin o ananaslı yemeklerden kendin yemiyor musun? Gülerek "hayır" dedi.

– Kıymalı yumurta yerim, dedim.

Bir sahan içinde kıymalı yumurtayı getirip masanın üstüne koydu, bir de ekmek getirip iri elleriyle ikiye bölüp yarısını bana verdi. Ekmeği yumurtalara bana bana yemeğe başladık.

– Niye hep böyle şeyler pişirmiyorsun, dedim, nefis olmuş. Hayatımda yediğim en güzel kıymalı yumurta.

– Şöyle küçük bir yer açmak istiyorum, dedi, ama sosyete için... Hiçbir yerde olmayan yemeklerin olduğu bir lokanta.

Kıymalı yumurtayı bitirip ekmeğin son lokmalarıyla sahanın dibini sıyırdık. Yemeği öyle iştahla yediğimi görmek hoşuna gitmişti.

– Bir de kahve yapayım, dedi, yemeğin üstüne iyi gider.

Kahveleri içerken Tevhide'yle babası gelince bodyguardın da benim kadar sevindiğini gördüm. Hemen ayağa kalkıp Tevhide'ye "aç mısın" dedi, "kıymalı yumurta yapayım mı sana?" Tevhide handa rastladığı herkesle konuşur, sorular sorar, arkadaşlık ederdi. Mutfakta kendine iyi bir yemek yapma şansına erişen herkes, yemeğinden bir parçayı Tevhide'yle babası Emir'e ikram ederdi. Emir kendilerine ikram edilen yemeği alır, Tevhide'nin tabağına koyar ama kendisi asla yemezdi. Kızına verilen bir yemeği aldığında, sol gözünün altında leylak rengi incecik bir damarın çaresiz bir utançla seğirdiğini görürdüm. Otuzlu yaşlarındaydı, duru neredeyse şeffaf denecek bir yüzü, iyi bir eğitimden geçtiğini ele veren kibar bir konuşma biçimi vardı. Kızına sanki o büyük biriymiş gibi davranır, sorduğu her soruyu ciddiyetle cevaplardı.

Bu hana, bu çevreye ait olmadığı belliydi, birisi, onun kim olduğunu anlatan dekoru arkasından çekivermiş, onu bambaşka bir dekorun önüne koymuştu. Birçoğumuz gibi o da geçmişini kaybetmiş, gizemli bir belirsizliğin içinde hayalet gibi dolaşıyordu.

– Kıymalı yumurta ne, dedi Tevhide.

Daha önceden duymadığı bir kelimeyi duyduğunda hemen onun anlamını sorar, bir iki gün içinde de mutlaka bir cümle içinde kullanırdı. O yaştaki bir çocukta rastlanmayacak ölçüde zengin bir kelime dağarcığına sahipti. Emir kıymalı yumurtanın ne olduğunu anlattı.

– İstemem, dedi, süt içeceğim.

Hepimiz gülümsedik, onun isteklerini ve istemediklerini hep bu kesinlikle söylemesi her seferinde karşısındakini gülümsetirdi.

– Teşekkür etmedin, dedi Emir.

Tevhide Bodyguard'a dönüp "teşekkür ederim" dedi. Emir, buzdolabından üstünde "Tevhide" yazan süt şişesini alıp kızına süt koydu. Bir süre konuşmadan oturduk, sessizlik uzayınca ben, Bodyguard'a "işler nasıl" dedim.

– Buraların da tadı kaçıyor yavaş yavaş, dedi, o sopalı itler müşterileri korkutuyor.

– Polis bir şey demiyor mu?

Etrafına bakındı, bizden başka kimse olmadığını görünce bana doğru eğilip "onlara kimse karışamıyor," dedi.

Emir, kızının yanında böyle konuların konuşulmasından rahatsız oldu, "biz gidelim" dedi. Onlar gittikten sonra ben de odama çıktım. Köylüler eğlenceye gidiyordu. Çabuk uyumuşum.

Rüyamda bal rengi tuvaletiyle Hayat Hanım'ı gördüm. Bana bakarak oynuyordu.

IV

– *Duygusal Eğitim* ile *Daisy Miller* aynı dönemde yazılmış romanlardır. Flaubert'in *Duygusal Eğitim*'i 1869'da, Henry James'in *Daisy Miller*'i ondan dokuz yıl sonra 1878'de yayınlandı. Aslında ikisi de bence ünleri kadar parlak olmayan romanlardır. Anfide bir uğultu oldu. Üniversitenin en kalabalık sınıflarının Nermin Hanım'ın ders verdiği sınıflar olmasının nedeni, bu kışkırtıcılığı, edebiyat konusunda kimsenin kolay kolay dile getiremeyeceği görüşleri hiç çekinmeden söylemesiydi. Daracık siyah jean'i, kırmızı stilettoları, yakaları kalkık beyaz gömleğiyle üniversitenin içinde "akademiyaya" açık bir meydan okuma olarak dolaşırdı. Dar bir yüzü, yüzüne büyük gelen kocaman gözleri, çalı gibi sert ve kabarık siyah saçları vardı. Okurken taktığı gözlüklerini hep elinde taşır, saplarını parmakları arasında sürekli birbirine vurarak tıkırdatırdı. Daha ilk derste, "Edebiyat öğretilemez," demişti, "ben size edebiyatı öğretemem. Ben size edebiyat için çok gerekli olan bir şeyi, edebi cesareti öğreteceğim. Başkalarının laflarını tekrarlayarak var olmaya çalışmayın. Cesur olun. Edebiyat cesaret gerektirir, büyük yazarlar ancak cesaretle yazanların arasından çıkar. Bu sınıfta bunu, edebî cesareti öğreneceksiniz."

Gerçekten de dediğini yapıyor, her derste sınıfı, inançları, ezberleri silkeliyordu.

– Şimdi biz bu iki kitaptaki özgürlük anlayışına bakacağız, dedi. İki kitapta da özgür kadınlar var... *Duygusal Eğitim*'de hayatlarını istedikleri gibi yaşayan özgür kadınlara rastlıyoruz, *Daisy Miller* ise tümüyle özgür kadın tipolojisi üzerine kurulmuş. Burada dikkatimizi çekmesi gereken konu, özgür yaşamanın, özgürlük anlayışının iki kitapta farklı biçimlerde ortaya çıkması. *Duygusal Eğitim*'de kadınlar yasaklar ve kurallarla çevrelenmiş bir ortamda, bu yasakların varlığına karşı çıkmadan bu yasakları delerek, etrafından dolaşarak, kendilerine gizli ve onaylanmayan yollar bularak kendi hayatlarını yaşıyorlar. *Daisy Miller* ise doğrudan doğruya yasaklar sistemine başkaldırarak kendine özgür bir yaşam kuruyor... Boyun eğerek özgürleşmek ile meydan okuyarak özgürleşmek arasındaki farkı görüyoruz.

Ben en büyük cesaretin Flaubert'in kitabını eleştirmek olduğu, kavramları, duyguları, düşünceleri roman kahramanları üzerinden kavrayan bu dünyayı seviyordum, bu dünyada yaşamak istiyordum. Buraya aittim. Hayatımı edebiyat tartışarak, edebiyat öğreterek, edebiyatı seven insanlar arasında geçirmek en büyük hayalimdi, Nermin Hanım'ın her dersinden sonra bunu bir kez daha anlıyordum. Edebiyat, hayattan daha gerçek ve daha eğlenceliydi. Hayattan daha güvenli değildi, belki de daha tehlikeliydi, yazının bir insanın hayatını ciddi biçimde zedeleyeceğini yazarların biyografilerinden biliyordum ama edebiyat kesinlikle hayattan daha dürüsttü. Edebiyat tarihi hocası Kaan Bey'in dediği gibi, "edebiyat insan ruhunun sonsuzluğuna çevrilmiş bir teleskoptu." Onun boğuk sesini duyuyordum. "İnsan ruhunun bütün parıltılı yıldızlarını ve kara deliklerini bu teleskopla görebilirsiniz."

Ben kitapların yardımıyla rastladığım bütün insanları, tabii kendimi de gözetlemeyi öğrenmiştim. İnsan ruhunun bir bütün olmadığını, birbirinden farklı parçaların birbirine eklenmesinden oluştuğunu artık biliyordum. O "ek yerlerinin" her zaman, herkeste su sızdırdığını da tabii... Bütün bunları düşünürken bir yandan da hızlı adımlarla sınıf arkadaşlarımdan uzaklaşmaya çalıştığımı, onlara artık yoksul biri olduğumu söylemekten kaçındığımı, bunun saçmalığını bilmeme rağmen gerçeği mümkün olduğunca saklamaya uğraştığımı da görüyordum. Beni küçümseyeceklerinden, bana acıyacaklarından korkuyordum, bu korkunun beni daha da acınacak bir hale soktuğunun da farkındaydım. Gerçeği açıkça ortaya koyup sahiplenmenin beni daha güçlü, daha saygıdeğer kılacağını bilmek, adımlarımı hızlandırmamı engellemiyordu. Bu nokta benim ek yerlerimden biriydi ve kolayca tamir edilemiyordu. Yoksul olmaktan da, yoksulluğumu saklamaktan da utanıyordum.

Bir yandan da Nermin Hanım'ın söyledikleri aklıma takılmıştı. Daha önce özgürlük hakkında hiç düşünmediğimi farketmiştim. Birden "ben özgür müyüm?" sorusu büyüyüverdi. Sanki bir soru zihnimde şekillenmemiş de kocaman bir billboard gibi önüme çıkıvermişti. Aniden durdum. Bu korkunç bir soruydu? "Ben özgür müyüm?" Cevabı, sorudan da korkunçtu: "Hayır, değilim." Daha sarsıcı bir soru ise şuydu: Hiç özgür olabilecek miydim?

Her soruyla birlikte kendi hayatımın içinde küçücük bir parça olduğumu farkediyordum, o hayatı dolduramıyor, bir yerden bir yere götüremiyordum. Olaylarla birlikte kendi iradem dışında kıpırdıyordum. Ne boyun eğerek ne de başkaldırarak hayatımı yönlendirecek bir gücüm vardı. Ben bir hiçtim, varlığım hiçbir şeyi değiştirmiyordu.

Ben bu gerçeği bugüne kadar nasıl olmuş da hiç anlayamamıştım? Bu soruları sormak niye hiç aklıma gelmemişti? Nermin Hanım'ın özgürlük hakkında söylediklerini geçen yıl dinlemiş olsam gene böyle sarsılır mıydım yoksa para bu gerçekleri görmeme engel mi olurdu? Başka insanlar bu soruları kendilerine soruyor muydu yoksa insanın kendine böyle sorular sorması için bir uçurumdan düşüp parçalanması mı gerekiyordu? İnsan özgürlüğün anlamını ancak parçalandığında mı anlıyordu? Ben şimdi ne yapmalıydım? Ne yapacaktım? Hayatı kımıldatamayan ve bu gerçeği artık bilen biri olarak nasıl yaşayacaktım?

Bir şeyler değişiyordu içimde, ne olduğunu tam kavrayamadığım bazı düşüncelerle duygular yıkılıyor, yerlerini yenilerine bırakıyordu. Cevapları beni dehşete düşüren sorular keşfediyordum.

O akşam televizyona gittim. Hayat Hanım oradaydı. Altın kızıl saçlarını, gülümseyişindeki şefkatli küçümseyişi oturduğum yerden görebiliyordum. Bal rengi tuvaleti üstündeydi. Spotların altında, yanan altını andıran bir ışıkla çevrelenmiş gibi gözüküyordu. Işıklar söndükten biraz sonra Sıla da geldi, otururken bana doğru dönüp gülümsedi.

Yeşil-kırmızı alacalı bir elbise giymiş bir şarkıcı şarkı söylüyordu, elbisesine pullarla işlenmiş dört parmak kalınlığında bir V omuzlarından kasıklarına kadar iniyordu. Hedefi gösteren ışıklı bir işaret gibiydi.

Bir ara kamera Sıla'yla beni çekti, ikimizin yüzü dev ekrana yansıdı. Tuhaf bir suçluluk hissettim. Bir suç işlememiştim, bir hata yapmamıştım, herhangi bir kabahatim yoktu ama suçluluk hissediyordum.

Çekimi ara vermeden bitirdiler. Program bitince seyirciler çıkmaya başladılar, ben kımıldamamıştım. Sıla da kalkmış benim kalkmamı bekliyordu. Kalktım. Birlikte koridora çıktık. Seyirciler iki yanımızdan akarak merdivenlere doğru yürüyorlardı. Aralarında programı değerlendiriyorlardı, kamera kimi çekti, kim nasıl oynadı, kimin elbisesi çok kötüydü, kim kameranın ilgisini çekmek için abartılı hareketler yapmıştı.

Sıla sabırsız bir şekilde yüzüme bakıyordu. O sırada "Fazıl" diye bir ses duydum. Döndüm. Hayat Hanım kalabalığın arasından hızla bize doğru geliyordu. Sıla, Hayat Hanım'a baktı, sonra dönüp bana baktı. Hayat Hanım yanımıza gelmişti. Sıla, "neyse, ben gideyim," dedi. Sesimi çıkarmadım. Çok kısa ama çok kısa bir süre üçümüz de kımıldamadan durduk. Kirli halılardan yükselen tozlu rutubet kokusunu duyuyordum. Çevremizdeki insanların gürültüsü kulaklarımda uğulduyordu. Hayat Hanım bana baktı, ben önüme baktım, Sıla başka hiçbir şey söylemeden dönüp gitti. Acıya da utanca da benzeyen, içimi sıkıştıran bir duyguyla baktım arkasından ama kımıldayamadım.

– Nasılsın, dedi Hayat Hanım.

– İyiyim, teşekkür ederim, siz nasılsınız?

– İşin yoksa bekle de yemek yiyelim.

– Beklerim, dedim.

– Ben üstümü değiştirip hemen gelirim.

46

Plastik sandalyelerden birine oturup beklemeye başladım. Sıla hakkında hiçbir şey sormamıştı. Ama ikimizi ekranda gördüğünden emindim. Bunu hep reddetti. Bana hiç yalan söylemedi. Gerçeği öğrenmenin beni üzeceği bazı olaylarda soru sorduğumda, uzaklaşan sesi, hafifçe donuklaşan bakışlarıyla beni "doğruyu söyleyeceğine" dair uyarırdı, bazen geri çekilir, bazen acıyı göze alıp sorularımda diretirdim. Sadece o günkü o küçük ve önemsiz konuda ısrarla yalan söyledi. Bizim görüntümüz ekranda belirdiğinde hemen Hayat Hanım'a bakmıştım, gözlerini ekrana diktiğini görmüştüm. Bu konuyu, onu sıkıştırmak için gizli bir istekle her açtığımda, "nereden göreceğim, uyduruyorsun" derdi ama yüzünde başka hiçbir zaman rastlanmayan, bir itirafla yırtılacakmış gibi gözüken acemi, telaşlı bir gülümseme belirirdi. Sanki sözleriyle reddettiğini gülümsemesiyle kabul ederdi.

Gene heykelli lokantaya gittik. Saçlarını toplamamıştı.

– Hafta sonunda yoktunuz, dedim.

Başka hiçbir açıklama yapmadan "işim vardı" dedi. Hayat Hanım'a karşı bir kızgınlık hissediyordum ama bu kızgınlığın nedenini bulamıyordum. Görünür bir nedeni yoktu. Eski bir sandığı karıştırır gibi kafamı kendi içime gömmüş o nedeni arıyordum. "Dalgınsın biraz," dedi, "Yoo," dedim gülerek. Ona, bana resim hediye eden sahafı anlattım.

– Öyle insanlar var, dedi, ama çok azlar.

O aldırmaz gülümsemesiyle gülümsedi, "mallarının değerini bilen akılsızların sayısı çok daha fazla."

– Sen biliyor musun, dedi, dünya her yirmi bin yılda bir güneşin etrafındaki yörüngesinde bir kere titriyor.

Böyle bir şey hiç duymamıştım.

– Bilmiyorum, dedim.

– Dünya titrediğinde Afrika'daki Büyük Sahra bir ormana dönüşüyor... Yirmi bin yıl orman olarak kalıyor... Sonra dünya bir daha titrediğinde orman yeniden çöle dönüşüyor.

Benimle eğleniyor mu diye yüzüne baktım.

– Gerçekten, dedi. Bir belgeselde izledim. Sahra'da yaptıkları kazılarda eski ormanların izlerini buldular.

Rakısından içti.

– Titrek bir kaya parçasının üstünde yaşarken herhangi bir şeyi ciddiye almak çok akıllıca gözükmüyor bana.

– Ciddiye almadan nasıl yaşayacağız?

– Ciddiye alarak nasıl yaşıyorsunuz?

Parmağıyla elimin üstüne dokundu.

– Bazı şeyleri hiç akıldan çıkarmamak lazım... Birincisi titrek ve kararsız bir kaya parçasının üstünde yaşıyoruz... İkincisi çok kısa ömürlü canlılarız... Üçüncüsü...

Sustu.

– Üçüncüsü? dedim.

– Üçüncüyü de sen bul, dedi... Hadi biraz yemek ye, mezeler harika.

Tartışmayı sevmiyordu, ikna etmeye de çalışmıyordu, söylemek istediğini söylüyor, senin buradan çıkaracağın sonuca da aldırmıyordu.

Mürdüm rengi dar bir elbise giymişti. Masaya doğru eğildiğinde göğüslerinin arasındaki gölgeli derinliği görüyordum.

Sıla'nın üzülmüş olabileceği geçiyordu aklımdan. Karanlık bir sokaktaki belli belirsiz bir hayali andırıyordu bu düşünce, çabucak kayboluyordu ama yeniden belireceğini biliyordum.

Lokantadan çıkarken Sinderalla heykeline çarptım. Heyecanlıydım.

– Hadi biraz yürüyelim, dedi, hava güzel.

Yürümeye başladık. Topuklarının sesini dinliyordum. Konuşmuyorduk. Bir şey düşünür gibiydi. Epeyce yürüdükten sonra birden durdu, "yoruldum" dedi, "bir arabaya binelim." Bir taksi çevirdim. Bindik. Şoföre adresi söyledi. Koltuğun bir köşesinde o, bir köşesinde ben oturuyordum, aramızda bir boşluk vardı. Taksi, zengin bir mahalleden orta halli bir mahalleye inen yokuşlardan birinin ortasında altı katlı bir binanın önünde durdu. Taksinin parasını ben ödedim, engel olmadı.

Binanın kapısını anahtarlarıyla açtı, içeri girdik. Parlak kromdan kapısı olan küçük asansöre bindik, birbirimize değmiyorduk ama birbirimizi hissediyorduk. Zambak kokusunu andıran kokusunu duyuyordum. En üst katta indik.

Eve girdik. Şaşırtıcı derecede sadeydi. Yıpranmışlığından her zaman oraya oturduğu anlaşılan vizon rengi kadife kaplı bir koltuk, yanında küçük bir sehpa, duvarın kenarında İngiliz yeşili üç kişilik bir kanepe, biraz arka tarafta üstündeki vazoda taze çiçeklerin durduğu yuvarlak bir yemek masası ve evin en pahalı eşyası gibi gözüken çok büyük bir televizyon vardı. Bir tane koltuğun yanında, bir tane de üçlü kanepenin yanında olmak üzere iki ayaklı abajur eve sakin bir ışık yayıyordu.

– Sen otur, ben kahve yapayım, dedi.

Kanepeye oturdum. Biraz sonra kahvelerle geldi. Koltuğa oturup bacak bacak üstüne attı. Etekleri sıyrıldı. Yutkundum. Tam ne yapacağımı, ne diyeceğimi kestiremiyordum. Beni baştan çıkarıyordu ama ben baştan çıkarılmayı bile doğru dürüst beceremiyordum.

– Eviniz çok güzel, dedim.

Sesim boğuk çıkıyordu.

– Beğendin mi?

– Evet, çok güzel.

Ev çiçek kokuyordu. Perdeler kapalıydı. Gülümseyerek bana bakıyordu. Eğlenen bir ifadesi vardı. Kahveleri hiç konuşmadan içtik. Bir şey söylemem gerekiyormuş gibi bir duyguya kapılmıştım ama söyleyecek bir söz bulamıyordum. İlk hareketi benden bekleyip beklemediğini de bilmiyordum. Donmuş gibiydim, kıpırdayamıyordum.

Kahvesini bitirince fincanı yanındaki sehpanın üzerine bıraktı. Ayağa kalkıp sakin bir sesle "gel hadi" deyip içeri doğru yürüdü. Ben de arkasından yürüyordum. Diz kapaklarının arkasına bakıyordum yürürken. Uzunca bir koridordan geçip yatak odasına girdik. Geniş yatağın başucunda küçük bir gece lambası yanıyordu.

Ağır ağır soyundu. Her parçayı, bundan özel bir haz alır gibi çıkarıyordu. O çırılçıplak kaldığında ben hâlâ gömleğimi çıkaramamıştım. Onu seyretmeye dalmıştım. Vücudu yüzünden daha gençti. Yatağa girdi, bana bakıp alaycı bir sesle "hadi," dedi. "Orada öyle duracak mısın?" Aceleyle soyundum.

Soyunduğu gibi her hareketin, her dokunuşun tadını çıkararak yumuşak ve acelesiz sevişiyordu. Küçük dokunuşlarla beni yönlendiriyordu. Ne yapmam gerektiğini o küçük dokunuşlar gösteriyordu. Ben ona uyuyordum. Usta bir okçu gibi yayı iyice gerdikten sonra birden bırakınca çığlıklarla hızlandık. İncecik bir zambak kokusunun içinde hem uçuyorum hem düşüyorum gibi bütün benliğimi sarsan bir duyguyla kayboldum.

Ondan sonraki on bir gün, hayatın ortasında açılmış bir parantezin içine yerleşmiş başlı başına ayrı bir hayat, ayrı bir evrendi: Yerçekimi, zamanı, ışığı, rengi, kokusu farklıydı, bilmediğim kuralları, görmediğim alışkanlıkları, rastlamadığım zevkleri vardı.

Hayat Hanım, bedenini verişindeki yumuşaklık ve uyumlu doğallıkla beni hayatına almıştı, en küçük bir engelle karşılaşmadan oraya yerleşmiştim. Bu doğallıkta beni huzursuz eden bir şeyler vardı, daha sonra ortaya çıkacak olan endişelerimi ve kıskançlığımı besleyen kaynak bu doğal rahatlıktı. Üstelik o zamanlar bir insanın hayatına girmenin, büyülerle dolu bir yeraltı labirentine girmeye benzediğini, birisinin hayatına girdiğinde oradan girdiğin insan olarak çıkamayacağını henüz bilmiyordum. Hayatımı roman okur gibi, etkilenerek ama istediğimde duyguların çemberinin dışına çıkabileceğim bir güvenlikle yaşayabileceğimi sanıyordum.

Bana, adı bendeki sözlüğe henüz yazılmamış bir mitoloji tanrıçası gibi görünüyordu. Ona dokunmadan duramıyordum. Ondan biraz uzaklaşınca üşüyordum, çevresinden ayrılamıyordum.

Evde, etekleri kalçasının hemen altında biten, göğüslerinin büyük kısmını ortaya seren, ince askılı, plaj elbisesini andıran elbisesiyle dolaşıyordu. Siyah deriden bantları olan, hafif topuklu bir terlik giyiyordu. Evin herhangi bir yerinde ona yutkunarak yaklaştığımda, hiç "hayır" demiyor, gülümseyerek, "daha biraz önce üstümdeydin, bıkmıyor musun" diyordu, sesinde alaycı bir kışkırtıcılıkla birlikte kendi çekiciliğinin sonuçlarını görmenin memnuniyeti duyuluyordu. Gözlerinin kenarındaki, dudaklarının ucundaki, boynundaki, kollarıyla göğsünün kesiştiği yerlerdeki, karnının altındaki çizgileri, yuvarlak karnını, kalınlaşan belini görüyordum. Belli ki gençliğindeki güzelliği artık çözülüyordu ama bütün bu kusurlar onu daha da çekici kılıyordu. Daha genç ya da daha güzel olmasını istemezdim, bunu derinden hissediyordum. Proust'un, "güzel kadınlar hayal gücünden yoksun erkeklerin olsun" sözlerini hatırlıyordum.

Bedenindeki ne olduğunu tam kavrayamadığım sihir beni büyülemişti, sanki var olduğumu hissedebilmek için ona dokunmak, onu tutmak, ona sarılmak zorundaydım. Uzaktan gördüğümde bile heyecanlanıyordum. Bir gecede onun etine tutkun olmuştum ama ona aşık değildim. Aslında tutkuyu da aşkı da daha önce yaşamamıştım, ikisini birbirinden ayıracak tecrübem yoktu. Buna rağmen ona aşık olmadığımı düşünüyor, "edebiyatı sevmeyen birine âşık olamam," diyordum. Bunu kendime sık sık tekrarlıyordum. Iris Murdoch'un "aşk nedir" sorusuna "hiç tükenmeyecek birini bulmaktır" diye cevap verdiğini henüz bilmiyordum.

Bazen aklımdan çok tuhaf, anlatılması da kavranması da çok zor, henüz kesin bir düşünce biçimini alamamış, duyguyla düşünce arası bir şeyler geçiyordu: Eğer Hayat Hanım'a söyleyeceklerimi kendim de duymayacak olsaydım ona bazı duygularımı söyleyebilirdim, bu duyguları onun duymasından değil kendim duymaktan çekiniyordum. Sanki kendim duymadığım sürece o duygular varolmayacak ancak ben duyduğumda gerçeklik kazanacaklardı. Birçok şeyi sanırım bu garip endişe yüzünden ona söyleyemedim.

İnanılmaz derecede lezzetli yemekler pişiriyordu.

On bir gün boyunca televizyona gitmedik. Okula da gitmedim. Sevişmediğimiz zamanlar ya belgesel seyrediyor ya da sokaklarda gezip, acıktığımızda karşımıza çıkan lokantalarda yemek yiyorduk. Paraları hep o ödüyordu.

Parayla ilişkisi hiç bilmediğim türden bir ilişkiydi. Beni tedirgin ediyor, hatta bazen kızdırıyordu. Bir gün arka sokaklardan birinde dolaşırken bir antikacının vitrininde sarkıtmalı bir lamba gördük. Eski usul bir lambaydı. Lambanın ayağının yanındaki zincire pirinçten bir küre bağlanmıştı, küreyi yukarı doğru çekince lambanın başı öne doğru eğiliyordu. Çok güzel, çok yumuşak bir ışığı vardı. Küreyi oynattıkça eğilip kalkan başıyla birlikte kehribar rengi bir ışık çuha çiçekleri gibi büyüyüp küçülüyordu. Hemen dükkana girdi. Ben de peşinden girdim.

– Ne kadar bu lamba, dedi.

– Yedi bin lira, dedi adam.

Hiç pazarlık etmeden "peki, alıyorum," dedi, "sarın lütfen, yolda kırılmasın." Şaşırmıştım. Televizyonda günlük yetmiş lira veriyorlardı bize, Hayat Hanım yüz günlük parasını bir lambaya vermişti. Sağlamca sarılan lambayı ben aldım. Son zamanlarda yaşadığım parasızlığın da etkisiyle bu davranışını sorumsuzca bulmuştum.

– Yüz günde kazanacağınız parayı bir lambaya verdiniz, dedim.

Evin dışında onunla konuşurken hâlâ "siz" diyordum.

– Yüz günde kazanacağım parayı nereye vermeliydim, dedi.

– Bilmiyorum... Bana biraz sorumsuzca geldi.

– Kime karşı sorumsuzca?

– Kendinize karşı...

– Kendime karşı sorumluluğum ne?

– Kendinizi güvencede tutmak.

– Tek sorumluluğum bu mu?

– İlk sorumluluğunuz.

– Sana böyle mi öğrettiler?

– Evet.

– Peki.

Sustu. Tartışmanın bitmesine dayanamadım.

– Öyle değil mi, dedim.

– Belki de değildir.

– Nedir peki?

– Sorumluluğum mu kendime karşı?

– Evet.

Bana bakıp güldü.

– Belki kendime karşı bir sorumluluğum yoktur. Belki de sorumluluğum kendimi mutlu etmektir. Şu anda yaptığım, senin de bozmaya çalıştığın gibi...

– Bir lamba sizi mutlu mu ediyor?

– Evet. Hem de çok.

– Yarın bu paraya ihtiyacınız olursa ne olacak?

– Yarın bu paraya ihtiyacım olmazsa ne olacak?

– Güvencede olacaksınız.

– Ya mutlu olmak güvencede olmaktan daha çok hoşuma gidiyorsa...

Bu konuşmada sıkıcı budala rolünün bana düştüğünün farkındaydım ama geri dönemiyordum.

– Yarın pişman olabilirsiniz.

– Almasaydım bugün pişman olacaktım.

O sırada bir sokak çiçekçisine rastladık. Mimozaları gördü. Sanki aramızda hiç böyle konuşmalar geçmiyormuş gibi bir kucak mimoza aldı. Eve varınca hemen kanepenin yanındaki abajuru çıkarıp yerine yeni aldığı lambayı taktı. Sarı mimozaları masanın üstündeki vazoya yerleştirdi. Dışarda yağmur başlamıştı, camlardan damlalar süzülüyordu, lambanın kehribar rengi ışığı mimozalara, camlardan süzülen damlalara, Hayat Hanım'ın altın kızılı saçlarına yansıyordu.

Işıklara baktı, sevinçle güldü.

– Kendimi Kleopatra gibi hissediyorum, dedi.

Anlamamıştım.

– Ne ilgisi var?

Gelip beni öptü.

– Bilmiyorum Marcus Antonius, dedi.

Ben bir budalaydım, üstelik pişman olan da bendim, kendini saçma sapan bir iş yapmış gibi hisseden de bendim. Mutlu bir şekilde şarkı söyleyerek içeri gitti. Daha önce hiç duymadığım bir şarkıydı: *Aşk tesadüfleri sever / Kader ayrılıkları / Yıllar geçmeyi sever / İnsan aramayı.* Çıplak memeleriyle kalçalarının kıvrımlı, dolgun salıntısını ortaya koyan kısa elbisesiyle döndü.

– Hadi yardım et de yemeği hazırlayalım.

Mutfakta ona dokunup duruyordum, bir şey söylemeden ona sürtünüyordum.

– Ne istiyorsun, dedi.

Yüzüne baktım.

– Hak etmedin ama peki, dedi.

Seviştikten sonra yemek yerken beni teselli etmek ister gibi, "ben o parayı lambaya değil, ışığına verdim," dedi. Çok mantıklı bir açıklama yaptığına emin bir hali vardı. Dayanamayıp güldüm, bazen kendimi onun çocuğu gibi bazen de o anda olduğu gibi babası gibi hissediyordum, her durumda daha ilgi çekici olan oydu, ben onun peşinden biraz geç kalarak yer değiştiriyor, hep kendimi biraz şaşkın buluyordum.

Yemek bitince kahvelerimizi alıp televizyonun karşısına geçtik, ayaklarını altına alıp koltuğuna oturdu, etekleri iyice yukarı sıyrılmıştı. O anda ona bakarken, onunla ilgili daha önce fark etmediğim bir özelliğini, o eşsiz yalnızlığını gördüm duygusuna kapıldım. Tamamen ona ait, onu eğlendiren, hatta mutlu eden yalnızlığının içine çekilmiş, beni unutmuştu. Daha sonra da defalarca onun bu yalnızlığının içine kendinden hoşnut bir gülümsemeyle çekildiğini gördüm. Ona seslendiğimde, o yalnızlığın içine nasıl doğal bir sükûnetle çekildiyse, oradan aynı doğallıkla çıkıyordu. Yalnızlık onun yuvası gibiydi. Güzel kanatlı bir kuş gibi rahatça yuvasına girip çıkabiliyor, bunu yaparken hiç zorlanmıyordu. Bu da daha önce benim kimsede görmediğim bir özellikti ve bu yalnızlığı beni büyülüyor, bende oraya, o yalnızlığın içine girme isteği uyandırıyordu. İkimize ait bir yalnızlığımız olsun istiyordum.

Karıncalarla ilgili bir belgesel gösteriyorlardı. Hayatımda ilk kez edebiyat kadar ilgi çekici bir şey izliyordum. Değişik karınca türlerinin çok değişik, şaşırtıcı özellikleri vardı. Bir tür çöl karıncası aynen astronotlara benziyordu, insanların bulduğu o özel giysileri onlar milyonlarca yıl önce bulmuşlar, kumların arasında o kıyafetlerle yaşamışlardı.

Kör karıncalar yeraltında sokakları, caddeleri, evleri, odaları olan şehirler inşa ediyorlardı. Çok özel havalandırma sistemleri kuruyorlar, su baskınlarına karşı önlemler alıyorlardı. Üstelik yeryüzünün her yanında aynı cins karıncalar aynı şehri kurabiliyorlardı. Muhteşem bir şehircilik planını ortak akıllarında tutuyorlar, hiçbirinin tek başına bilmediğini hep birlikte bilebiliyorlardı. Yaprak karıncaları, kaliteli bir yaprak bulduklarında bir şarkı söylemeye başlıyorlardı. Şarkıyı karınlarından söylüyorlar, ses bacaklarından yapraklara geçiyor, yayılıyor, o yaprakları yuvaya taşımakla görevli taşıyıcı karıncalar bu şarkıyı duyunca hemen geliyorlardı.

Kraliçe karıncayı devirmek için entrikalar düzenleyen, taraftar toplayan, saray darbesi hazırlayıp kraliçeyi deviren karıncalar, devirdikleri kraliçeyi yiyorlardı.

Maeterlinck'in neden şiirin yanı sıra karıncalar üzerine bir kitap yazdığını şimdi anlıyordum. Kitabı okumadığıma pişman olmuştum, ilk fırsatta sahaflara gidip o kitabı aramaya karar vermiştim. Edebiyatın dışında böylesine renkli bir dünya olduğunu galiba ilk kez keşfediyordum.

Belgesel bitince Hayat Hanım, "sevdin mi," dedi, "çok sevdim," dedim, "karıncaların da saray darbesi yapacağı hiç aklıma gelmezdi."

– Maymunlarda da var böyle siyasi kavgalar, başkan seçilmek isteyenler taraftar toplayabilmek için diğer maymunlara muz dağıtıyorlar, seçim gezileri düzenliyorlar, yavruları kucaklarına alıp seviyorlar.

Ayağa kalktı.

– Yatmadan bir kahve içelim mi?

– Olur.

O mutfağa gidince ben de peşinden gittim, gülerek, "yatacağız birazdan, merak etme" dedi. Kahveleri içerken, "o televizyonda seyirci olmak nereden aklına geldi," dedim.

– Bir arkadaşım vardı, o televizyonun sahibinin arkadaşı, gitmek ister misin, eğlenirsin dedi, ben de bir gideyim dedim, gerçekten de orada eğleniyorum. Orası bir yeraltı belgeseli gibi, başka yerde göremeyeceğin olaylar, insanlar görüyorsun. Ayrı bir canlı türünün maceraları gibi, üstelik kendin de belgesele katılabiliyorsun.

Bacaklarına bakıyordum.

– Yatalım hadi, dedi gülümseyerek, sen sabırsızlanıyorsun.

Onunlayken erkek olmanın muhteşem zevkini hissediyor, zambak kokan bir yanardağın içinde yüzmeyi öğreniyordum. Bitmeyen bir haz safarisindeydim. Sıcak ve doğal şehvetiyle beni sarıp bilmediğim yerlere götürüyor, çok doğal dokunuşlarla hiç bilmediğim heyecanlar öğretiyordu. Arzunun çok değişik biçimlerini hissetmenin yollarını gösteriyordu.

Günler geçtikçe yeni duygular, yeni düşünceler, yeni bir zaman anlayışı ve yeni bir yaşam biçimi keşfediyordum. Ona dokunduğumda, zaman biçim değiştiriyordu, varlığını bir bıçak gibi kullanarak zamanı kabuklarından soyuyor, geçmişi ve geleceği ayıklıyor, meyvenin lezzetli özünü, yaşadığımız anı ortaya çıkarıyordu. Geçmişle geleceğin kalın kanatları altında ezilen, bir türlü gerektiği gibi hissedilip yaşanamayan ve zamanın özü olan "an", onunla birlikteyken geçmişsiz ve geleceksiz bir özgürlüğe kavuşarak bütün hayatı kaplıyordu. Geçmişin anıları ve geleceğin endişeleri kayboluyordu, bütün hayat, sonsuz bir "an"a dönüşüyordu. O uzun ve kesintisiz "an"ı, neşeli aldırmazlığıyla, alaycılığıyla, şefkatli sükûneti ve hiç tükenmeyen şehvetiyle dolduruyordu. Ona dokunduğumda ne geçmiş ne gelecek vardı, hayata sadece onun varlığı ile dolu tek bir anla bağlanıyorduk.

Geçmişten ve gelecekten kurtulduğumda o muhteşem özgürlüğü hissediyordum. Hayat Hanım özgürdü. Boyun eğerek ya da başkaldırarak değil sadece aldırmayarak ve talep etmeyerek özgürdü o ve ona dokunduğumda o özgürlük beni de içine alıyordu. Hayatın gerçek lezzetini ancak bu özgürlük içinde tadabiliyor ve bu lezzete bağımlı bir hâle geliyordum. Ona dokunmadığımda ise zamanın kanatları kapanıyor, geçmiş ve gelecek "an"ı yeniden eziyor, beni sıkıştırıyordu.

Hayat Hanım, hiçbir şeyi umursamıyor, hiçbir şeye aldırmıyor, hiçbir şeyden yaralanmıyordu. Bir akşam küçük bir meyhaneye gitmiştik. Yan masada genç bir grup yemek yiyordu, aralarındaki kızlardan biri, bilmiyorum Hayat Hanım'ı kızdırmak için mi yoksa sadece sarhoş gevezeliğinden mi, "oğlunuz mu," diye sormuştu. Hayat Hanım üzülecek diye korkmuştum bir an, o saçlarını sallayarak gülmüş, "evet" demişti, sonra da "ama biraz haylaz" diye eklemişti.

Dönerken, "demek oğlunum anneciğim" demiştim.

– Ama biraz haylazsın, demişti.

Ona Ödipus'u anlatmıştım.

– Sen şimdi Ödipus mu oluyorsun, diye sormuştu.

– Bazen... Böyle ilişkilere Ödipus kompleksi diyorlar.

Bu onu çok güldürmüştü.

– İlişkilere de kedi yavruları gibi isimler mi takıyorsunuz, demişti. İsim takmazsanız kaybedeceğinizden mi korkuyorsunuz?

İyi bir çifttik: Karı-koca, ana-oğul, baba-kız, kraliçe-muhafız, prens-cariye, bize bakanlar ne görürse görsün, ben bir kalıba sığmadığımızı biliyordum, hayata ait o kadar farklı bilgilere, o kadar değişik kaynaklara sahiptik ki tek bir kalıbın içine sığmamıza imkan yoktu. O bana doğayı, evreni, hayvanları, yıldızları anlattığında cahil bir çocuk gibi dinliyordum, ben ona yazarları, filozofları anlattığımda o cahil bir çocuk gibi dinliyordu. Edebiyatla ilgilenmiyordu ama yazarlarla filozofların hayatlarının onun ilgisini çektiğini fark etmiştim, onları anlattığımda bir karınca belgeseli izler gibi dikkatle dinliyordu.

– Kierkegaard, Regina isimli genç bir kıza âşık olmuştu, kıza evlenme teklif etti, kız kabul etti. Ama Kierkegaard son anda kendisinin evlenmek için fazla karamsar ve dindar olduğuna karar verip vazgeçti. Regina geri dönmesi için çok yalvardı, çok ağladı ama Kierkegaard dönmedi.

– Sonra ne oldu?

– Regina başkasıyla evlenip mutlu oldu, Kierkegaard hayatı boyunca mutsuz yaşadı.

Yüzüme baktı.

– Aptal ayol bu adam, dedi.

Bir kahkaha attım, Nermin Hanım bile Kierkegaard hakkında böyle bir şey söyleyemezdi. Birbirimizi çok güldürüyorduk. Herhangi biriyle bu kadar eğlenebileceğimi tahmin bile edemezdim. Kişiliğimiz, eğilimlerimiz, eğitimimiz, beğenilerimiz tümüyle farklıydı ama yakınlığımızda neredeyse büyülü bir doğallık vardı.

Çok konuşuyorduk ama hiçbir zaman kendinden söz etmiyordu, ne geçmişi, ne geleceği, ne durumu hakkında bir şey biliyordum, söylemiyordu, sorarsam omuzlarını silkip lafı değiştiriyordu, "anlatacak ilginç bir şey yok" diyordu. Hayatıma giren esrarengiz bir galaksi gibiydi, yıldızlarını, ışıklarını, parıltılarını, renklerini görüyordum ama bütününün sırrını çözemiyordum. Geçmişinde bir sır mı vardı, anlatmamanın daha çekici olduğunu mu keşfetmişti yoksa sadece kendinden söz etmekten mi sıkılıyordu, kestiremiyordum. O ışıklı parlaklığının içinde karanlık bir yanı vardı, onu çok çekici kılan o şehvetli karanlığa hiçbir zaman ulaşamıyordum.

Kendimce kurnaz hareketlerle bazen onu çözmeye çalışıyordum, Kaan Bey'in bir derste "bir insanı tanımak için onun hayallerini bilmelisiniz" dediğini hatırlıyordum. Bir gün yatarken, "senin en büyük hayalin ne" dedim. Kıkır kıkır gülmeye başladı, böyle güldüğünde siyah bir kadifenin üstünde birbirine çarpan elmasların görüntüsü geliyordu gözümün önüne.

– Işıktan hızlı gitmek, dedi.

Nedense benim soruma böyle cevap vermesinden alınmıştım.

– Ben ciddi sordum, dedim.

Yatağın içinde çırılçıplak bağdaş kurup oturdu, iri göğüsleri öne doğru hafifçe sarkmıştı böyle oturunca, gece lambasının ışığı kasıklarındaki kumral tüylerin uçlarında, bacaklarında, omuzlarında yaldızlanıyordu.

– Ben çocukluğumdan beri ışıktan hızlı gittiğimi hayal ederim, dedi, düşünsene, ışıktan hızlı gittiğinde, gittiğin yere varıyorsun ama seni göremiyorlar. Oradasın ama oradakiler için orada yoksun. Sonra senin arkandan ışık geliyor, ışık senin görüntünü taşıyor. Sen olmayan senin görüntünü sen sanıyorlar, halbuki o sadece bir görüntü... Görüntüne bir şey soruyorlar, göremedikleri sen cevap veriyorsun, sen ve görüntü ayrılıyor... Işıktan hızlı gitsek ne eğlenceli olurdu, görünmeyen gerçek insanlar ve görünen gerçek olmayan insanlar.

Yüzünü yüzüme yaklaştırdı.

– Sence bundan daha güzel bir hayal olabilir mi?

Ona sarılıp kendime doğru çektim, "olamaz" dedim.

Güneşli bir sabah kahvaltı ederken, "hava çok güzel" dedi, "hadi ormana gidelim. Ben bir şeyler hazırlarım, orada yeriz."

Böyle ani istekleri vardı. Birdenbire aklına bir fikir geliyor, bunu hemen yapmak istiyordu. İstediği her şeyi yapabileceğine inanıyor ve yapıyordu.

– Neyle gideceğiz, dedim.

– Arabayla.

– Hangi arabayla?

– Benim arabamla.

– Senin araban mı var?

– Bir tane almıştım ama kullanmayı sevmediğimden evin önünde duruyor... Araba kullanmasını biliyorsun değil mi?

– Biliyorum.

– İyi, sen kullanırsın.

Orman sessizdi. Arabayı bir yerde bırakıp ağaçların arasından yürümeye başladık. Kuru yapraklar ayaklarımızın altında çıtırdıyordu. Güneş kızıllaşan yaprakların arasından sızıp sırmadan örülmüş danteli andıran bir ışıkla önümüzü aydınlatıyordu, sıcaklığı ağaç gövdelerinin serinliğine karışıyordu. Işıkla gölge sürekli yer değiştiriyordu. Küçük bir açıklığa rastlayınca durduk, yanımızda getirdiğimiz battaniyeyi yere serip oturduk. Biraz sonra battaniyenin üstüne sırt üstü uzandı, ellerini başının altında kavuşturup gözlerini kapattı. Onu seyrediyordum. Hafif bir rüzgar vardı, yapraklar kıpırdadıkça üstüne düşen ışıklar da kımıldıyordu, vücudu ışıklarla birlikte dalgalanıyormuş gibi gözüküyordu.

Gene beni unutmuş gibiydi, ben onu düşünüyordum ama onun ne düşündüğünü bilmiyordum. Bunu asla öğrenemeyeceğimi biliyordum, bu imkansızlık beni huzursuz ediyordu. İnsanın karşısındakinin ne düşündüğünü bilememesinin büyük bir güçsüzlük olduğunu derin bir kızgınlıkla hissediyordum.

Birden gülümseyerek gözlerini açtı.

– Acıktın mı, dedi.

– Biraz.

Bir koluna dayanarak doğruldu, içinde sandviçler olan sepeti yanına çekti, kâğıt tabakları, bardakları çıkardı. Sessizce yemeğe başladık. Rüzgârla kıpırdayan yaprakların sakin hışırtısından başka ses yoktu.

– Mutluluk böyle bir şey olabilir mi, dedi.

Cevap vermedim, o da bir cevap beklemiyordu.

Onun benimle mutlu olup olmadığını, ondan o öldürücü mektubu alana kadar hiçbir zaman bilemedim. Duygularla ilgili konuşmazdık. Bir keresinde, camları şiddetli bir sağanakla sarsılan küçük bir mahalle meyhanesinde neşeyle yemek yerken dayanamayıp "mutlu musun" diye sormuştum. Yüzüme uzunca bir süre, beni tedirgin eden bir dikkatle bakmıştı, "bir kadına bunu sormamalısın" demişti, "mutlu olup olmadığını bilemez ama mutluluğunda neyin eksik olduğunu çok iyi bilir. Bunu ona hatırlatmamalısın." O eksikliğin en cesur kadınları bile endişelendirebileceğini ben nereden bilebilirdim ki...

Hiç konuşmadan yemek yedikten sonra o tekrar uzandı, yapraklara, yaprakların arasında oynaşan ışıklara bakıyordu. Elimi bacağının üstüne koydum. Gülümseyerek bana dönüp göz kırptı.

– Ne o?

– Yapalım mı?

– Çok mu istiyorsun?

– Evet.

Eliyle battaniyenin üstünü bastırıp yokladı. Sonra ayağa kalktı. Eteklerini beline çekip bana arkasını döndü iki eliyle bir ağaca dayandı. Çok kısa, üç dört dakika sürdü ama o ıssızlığın ortasında korkuyla arzunun kaynaşmasından öyle bir haz oluşmuştu ki bütün vücudumun zevkten parçalandığını hissetmiştim, böylesine cam kırığı gibi keskin, kanatıcı bir zevki daha önce tatmamıştım.

Kemerimi bağlarken nasıl tehlikeli bir iş yaptığımızı daha iyi fark ettim, o ormanda birileri bizi o halde görseydi neler olabileceğini bilemezdik. Başımıza her şey gelebilirdi. Hayat Hanım'da ise hiçbir tedirginlik yoktu. O korkmuyordu. Ona tehlikelerden söz ettiğimde gülerek "en fazla ölürüz," diyordu. "En fazla ölürüz."

O gece yatarken ondan daha önce hiç duymadığım ciddi bir sesle, "bir gün her şeyi unutacaksın bugünlerle ilgili," dedi.

Susup derin bir soluk aldı.

– Senden istediğim şu, bir an seç, tek bir an... O ânı unutma... Her şeyi hatırlamaya kalkarsan her şeyi unutursun... Ama bir an seçersen, ona her zaman sahip olabilirsin, her zaman hatırlayabilirsin... Benimle ilgili tek bir ânın yaşadığın sürece zihninin bir yerinde hep aynı canlılıkla duracağını düşünmek beni mutlu edecek.

İstediği tek bir andı.

Ona bir andan daha fazlasını hatırlayacağımı söyleyecektim ama parmağının ucuyla dudaklarıma bastırdı.

– Bir şey söyleme, dedi.

Sustum.

Garip bir sevinç ve o sevincin içine karışan anlaşılmaz bir üzüntüyle uykuya daldım.

Ertesi sabah her zamankinden daha sessizdi. Çok fazla konuşmadan kahvaltı etti. Evde giydiği kısa elbisesini giymemişti, diz kapaklarına inen bir etek vardı üstünde. Kahvaltıdan sonra, "çoktandır okulu da işi de ihmal ettin," dedi, "artık kendi hayatına dönmelisin... Git dinlen, ben de biraz dinleneyim."

Beni kovuyordu. Kıpkırmızı kesildiğimi hissettim. Hiç böyle aşağılanmamıştım. Bir şey söylemeden kapıya doğru yürüdüm.

– Bunu al, diye seslendiğini duydum.

Döndüm. Arabanın anahtarını uzatıyordu.

– Ben kullanmıyorum nasılsa, bir süre sen kullanabilirsin.

Sert bir sözle reddetmeyi düşündüm ama o anahtar ilişkimizi sürdürebileceğimize dair bir işaret gibi geldi bana, ilişkiyi tümden kesmeyi göze alamadım. Anahtarı aldım. Tam kapıyı açarken, "beni öpmeden mi gideceksin" dedi. Dönüp yanağından soğuk bir şekilde öptüm.

Arabaya bindiğimde aklımda Nietzsche'nin sözü çınlıyordu. "En tatlı kadında bile acı bir tat vardır." Çok acı bir tattı, içimi yakıyordu.

V

Sabaha karşı gürültülerle uyandım ama o kadar yorgundum ki yeniden dalmışım. Uyanınca çay içmek için mutfağa indim, masanın başına toplanmış kalabalık hararetli bir şekilde konuşuyordu. Bodyguard'a "ne oluyor" dedim.

– Sabaha karşı polisler binayı basıp alt kattaki çocuklardan ikisini götürdüler, dedi.

– Niye?

– Facebook'ta bir yazı paylaşmışlar.

– Suç mu bu?

Benim sorumu duyan, herkesin "Şair" dediği genç sinirli bir şekilde ayağa kalkarken dişlerinin arasından "hükümetle ilgili şaka yaparsan suç" dedi, "artık şaka yapılmayacak."

– Ciddi misin, dedim.

– Onlar ciddi, dedi.

Sanki bir devin avucunun içinde duruyormuşuz ve istediği zaman yumruğunu sıkıp bizi ezebilirmiş gibi bir duyguya kapılmıştık. Her zaman yaptığımız bir şeyi yapmayı sürdürdüğümüz için suçlanabileceğimizi, bir şakadan, bir sözden dolayı sabaha karşı alınıp götürülebileceğimizi birden anlayıvermiştik. Ortaya çıkan tehdidin sınırsızlığı karşısında hepimiz korkmuştuk. Sessizce dağıldık. Ben de handan çıkıp arabayı bıraktığım yere doğru yürümeye başladım.

Bu olay içimdeki sıkıntıyı daha da artırmıştı. Öylesine yoğun ve alışkın olmadığım duygular üst üste yığılmıştı ki en küçük bir sarsıntıda hepsi birden içime yayılıyor, içime sığmayıp beni yırtarak parçalamaya çalışıyordu. Bazen bir vahşi hayvan sürüsü tarafından parçalanıyormuşum gibi hissediyordum. En çok acıtanı ise Hayat Hanım'la ilgili sorulardı.

Hayat Hanım beni niye kovmuştu? Neyi yanlış yapmıştım? Benden bıkmış mıydı? Başka birisiyle mi buluşuyordu?

Özellikle bu son soru aklıma geldiğinde kaskatı kesiliyordum, başka hiçbir duygu ya da düşünce bu sorunun yarattığı kasılmayı çözemiyordu. Anlaşılmaz bir takıntıyla onun nerede olduğunu bilmek istiyordum, birisi bana "şu an şurada" dese sanki bu kasılma çözülecekti, onu zihnimde çizdiğim o mekânın içine yerleştirip rahatlayacaktım. Onu bir mekânın çizgileri içine yerleştiremediğimde kayıp gidiyor, gizemli bir duman bulutunun içinde kayboluyor, arada bir çırılçıplak gülerek beliriyor, sonra yeniden dumanların arasına karışıyordu. Bu bilinmezlik, delirmiş bir hayal gücünün, ihtimallerle sakatlanmış kuşkularını doğurduğu kızgın döl yatağıydı.

Ona istediğim zaman ulaşamayacak olmam, bu muazzam çaresizlik, bazen kıskançlığın üstüne endişelerden oluşan başka kılıklar giydiriyor, onun başına bir şey geleceğinden, öleceğinden, dahası onun cüretkâr çılgınlıklarından birinde öldürüleceğinden korkuyordum. Bilinmezlikle döllenen hayal gücünün sakat çocukları büyüyüp beni boğuyordu. Öyle bir an geliyordu ki yorgunluktan içim boşalıyordu, bütün duygular kayboluyordu. Öyle anlarda huzurlu bir bitkinlik hissediyordum. Bütün bunlarla nasıl başa çıkacağımı bilmiyordum. Hiçbir zaman da öğrenemedim. Zamanla, uzun süren bir hastalığa yakalanmış bir hasta gibi krizlere alışacaktım, hissettiğim acı değişmeyecekti ama o acının yarattığı telaştan kurtulacaktım. O son olaya kadar onu kaybedip kaybedip bulmam da telaşımın yatışmasında önemli bir rol oynayacaktı.

Arabaya bindim. Güzel, küçük bir arabaydı. Bana ait olmasa da bir arabamın olması hoşuma gidiyordu. Babam bana araba almayı garip bir inatla hep reddetmişti, "bir insan parasını kendisi ödeyebildiğinde araba sahibi olmalı," diyordu, galiba zengin çocuklarının trafik kazasında ölebileceğine dair bir takıntısı vardı, annemin araya girmesi bile bu düşüncesini değiştirememişti. Zenginken okula hiç arabayla gidememiştim, şimdi yoksulken arabayla gidiyordum. Havanın serin olmasına rağmen pencereyi açıp kolumu pencereye dayadım.

O gün Kaan Bey'in dersi vardı. Kısa boyundan beklenmeyecek davudi sesiyle anlatıyordu. Önce soruyu soruyordu:

– Neden yazarların çoğunluğu yeniliği ve değişimi biçimde aramışlardır? Neden özde değil de biçimde değişiklik yapmak onlara daha çekici gelmiştir?

Sınıfı gözleriyle taradıktan sonra her zaman olduğu gibi kendi sorusuna kendisi cevap vermişti:

– Öz değişmez çünkü.

Sıraların arasında dolaşırken sanki onu üzen bir şey varmış gibi dertli bir sesle devam etmişti:

– Edebiyatın özü insandır... İnsanların duygularıdır. Bütün duyguların içinden çıktığı tohum da sahip olma isteğidir. Bir insana, bir insanın ruhuna sahip olmak istediğinizde, bu aşktır. Bir insanın bedenine sahip olmak istediğinizde bu şehvettir. İnsanları korkutacak, onları sizin emirlerinize uymak zorunda bırakacak bir güce sahip olmak istediğinizde bu iktidardır. Paraya sahip olmak istediğinizde bu aç gözlülüktür. Ölümsüzlüğe, ölümden sonra da yaşama hakkına sahip olmak istediğinizde, bu inançtır. Edebiyat da aslında tek kaynaktan, sahip olma isteğinden çıkan bu beş ana damardan beslenir, bunları anlatır. Öz budur.

Durup sınıfa baktı.

– Bu özü nasıl değiştireceksiniz? Soru budur.

Birden kırçıl sakallarının arasında bir gülümseme belirdi.

– Bu sömestrede sizden bu sorunun cevabını bekliyorum... Ya da benim tezimi çürüten bir karşı tezle ve örnekleriyle geleceksiniz. Düşünün bakalım. Benim için tezimi çürütmeniz, kabul etmenizden daha değerlidir, bunu da unutmayın.

Dersten çıktığımda, "Ben Hayat Hanım'a sahip olmak istemiyorum," diye düşündüm, "ben onun yanında olmak istiyorum." Ama nedense bu düşüncemde beni ikna etmeyen bir yan vardı, yanlış bir cevap vermişim gibi hissediyordum. İçimde kendi düşüncelerimle ilgili kuvvetli bir kuşku vardı, "belki de ona sahip olmak istiyorum" diyen bir ses duyuyordum. Onun nesine sahip olmak istiyordum? Bedenine mi? Sanki bu soruya bir başkası cevap verdi, "evet" diyordu, "bedenine sahip olmak istiyorum." Ya ruhuna? Bu soruya cevap vermek istemiyordum, bu soruyu kendime sormak da istemiyordum ama soruyu aklımdan da çıkaramıyordum. Hayat Hanım'ın ruhu dediğimde, anlayamadığım bir biçimde onun televizyon izlerken içine çekildiği yalnızlık geliyordu gözümün önüne, sanki yalnızlığı onun ruhuymuş gibi, niye böyle algıladığımı kavrayamıyordum ama o yalnızlığın içinde kendime bir yer açmak istediğimi biliyordum. Bu, sahip olma isteği miydi, o isteğin biçim değiştirmiş hâli miydi? Bu soruların cevapları beni korkutuyordu, o sakin ve gizemli yalnızlığın beni nasıl büyülediği aklımdan çıkmıyordu çünkü...

O akşam Hayat Hanım gelmedi. Sıla da yoktu. Konuşabilecek kimsem kalmamıştı, herkes beni terketmişti. Boş gözlerle sahneye bakıyordum. Çok kısa bir etek giymiş bir kadın şarkı söylüyordu. Bacakları olağanüstü güzeldi. Hayat Hanım'ın "kadınlar nerelerini açacaklarını bilirler" dediğini hatırladım. Kadının yüzünde, ilk bakışta ne olduğu anlaşılamayan bir şey, bir yanlışlık vardı. Bunun ne olduğunu anlamaya çalışıyordum, birden bütün dikkatim kadının yüzüne yoğunlaşmıştı. Kadının dudakları yoktu. Ağzı bir kesik gibiydi. Ama işin garip yanı, bu eksikliğin kadının yüzünde sert bir çekiciliğin oluşmasını sağlamasıydı.

Sonra bir erkek şarkıcıyla üç dansöz çıktı, pullu sütyenleriyle yırtmaçlı etekleri arasında çıplak karınları gözüküyordu. Az rastlanır bir kıvraklıkla oynuyorlardı.

Ara verildiğinde koridora çıkıp bir çay aldım. Kadınların çoğu Hayat Hanım'ın yaşlarındaydı ve neredeyse hepsi sarı saçlıydı. Gene Hayat Hanım'ın sözlerini hatırladım, "kadınlar nasıl doğarlarsa doğsunlar sarışın ölürler," demişti gülerek. "Niye" diye sormuştum. Kadınların çizgilerinin yaşlandıkça derinleştiğini, koyu renk saçların bu çizgileri daha da keskinleştirdiğini, açık renk saçların ise çizgileri yumuşattığını anlatıp "bunları kitaplarda yazmıyorlar mı Antonius," diye benle dalga geçmişti.

Onu özlüyordum.

Kadınların arasında daha önce görmediğim birkaç yeni yüz vardı, onlar diğer seyircilere benzemiyorlardı, sessiz bir şekilde oturuyorlardı, nerdeyse kederli bir ifadeleri olduğu görülüyordu, şaşkınca, biraz utanarak bakıyorlardı çevrelerine. Buraya ait değillerdi. Daha dikkatli bakınca kederli ifadelerinin altında henüz silinmemiş bir kibrin izleri de hissediliyordu.

İkinci bölümde, oynak bir türkünün ara nağmesinde zurnacı bir solo yaptı ve türküyü bir caz parçası gibi çaldı, orada üstelik de zurna gibi bir enstrümanla bir caz soundunun yakalanacağını söyleseler inanmazdım. Adama ve yeteneğine hayran kalmıştım. Seyircilerden büyük bir alkış almıştı. Sarışın şuh kadınlarla, etrafa çapkın çapkın bakan adamlar dinlediklerinin değerini anlamışlardı.

Program bitince herkesten sonraya kaldım, acele etmek istemiyordum. Tek başıma yürüdüm yollarda. Hana gelince belki birine rastlarım diye mutfağa uğradım, kimse yoktu. Biri gelir diye kendime çay koyup oyalandım. Kimse gelmedi. Odama gittim. Balkona çıktım. Yolu seyretmeye koyuldum. Kalabalık sanki biraz daha azalmıştı.

İçeri girdim. Köylüler eğlenceye gidiyorlardı. Sonsuza dek eğlenceye gideceklerdi.

Soyunmadım. Soyunmak beni sanki daha güçsüzleştirip yalnızlaştıracakmış gibi anlamsız bir korkuya kapılmıştım. Elbiselerimle yatağın üstüne oturdum. Elbiselerimle uyudum. Sabah erken uyandım. Oda çok dardı. Havasızdı. Handan telaşla çıktım. Sokaklarda dolaştım. İnsanlar işe gidiyordu. Hepsinin yüzü asıktı.

Öğleye doğru cesaretimi toplayıp Sıla'yı aradım.

– Nasılsın, dedim.

– İyiyim, dedi, sen nasılsın?

Sesimi duyduğu için sevinmiş gibiydi.

– Ne yapıyorsun, dedim.

– Hakan'ın kütüphanesinde Saramago'nun *Yitik Adanın Öyküsü*'nü buldum, onu okuyorum.

– Zavallı Pedro Orce, dedim.

– Zavallı Pedro Orce, dedi.

Sevgilileri olan iki kadının yalnızlığına acıdıkları için Pedro Orce'yle sevişmeleri, insanların iyiliği konusunda beni çok etkilemiş sahnelerden biriydi.

Ben "zavallı Pedro Orce" dediğimde bana "zavallı Pedro Orce" diye cevap verecek bu dünyada çok az insan vardı, ben onlardan birini bulmuş ama kıymetini bilmemiştim.

İlahi Komedya'yı okuduğumda Dante'nin cehennemde rastladığı Paolo ve Franceska'nın hikâyesi beni çok etkilemişti, bir aşkı anlatan kitabı okurken birbirlerine âşık olmuşlar, hiçbir yasağa aldırmamışlar, cehenneme gitmeyi kabullenmişlerdi. Ben de hep böyle bir aşkı, birlikte bir kitap okurken bir kadınla birbirimize âşık olacağımızı hayal ederdim. Benim için olabilecek en büyük aşk buydu. "Zavallı Pedro Orce" sözüyle bu hayali hatırlamıştım.

– Dün akşam yoktun, dedim.

– Dersler geç bitti, yetişemedim, dedi. Sen de epeydir gelmiyordun...

"Burada değildim, annem hastalandı, onun yanına gittim ama şimdi iyi," dedim. "Buluşalım" demeye cesaret edemediğim için Shakespeare'in arkasına saklandım.

"When shall we two meet again, in thunder, in lighting or in rain?"

Güldüğünü duydum.

71

– O kadar dramatik bir şey beklememize gerek yok, bulutlu bir havada da buluşabiliriz.

– Ne zaman hazır olursun, ne zaman alayım seni? Bir arkadaşım arabasını bana verdi.

– İki saat sonra hazır olurum.

Onu aldıktan sonra sahile doğru gittim. Hava kapalıydı. Deniz grimsi bir renk almıştı.

– Salaş bir lokanta bulup balık yiyelim mi?

– Çok pahalıdır.

– Olsun... Televizyondan aldığım paraları harcamadım, biraz param var. Lokantaya harcayabiliriz.

– Çok sorumsuzca olur.

– Kime karşı çok sorumsuzca...

– Kendine karşı sorumsuzca...

– Sana böyle mi öğrettiler?

Kendi söylediklerimi şaşkınlıkla dinliyordum. Denizaltı belgesellerindeki deniz hayvanları gibi karşımdakine göre biçim değiştiriyordum.

– Bana böyle öğrettiler, dedi Sıla soğuk bir sesle. Sana nasıl öğrettiler?

– Peki ne yapalım?

– Deniz kenarındaki çaycılardan birinde duralım, çayla tost alıp arabada yeriz.

Onun dediğini yaptık. Tostunu yerken dümdüz bir sesle, "o kadın kimdi," dedi, "hangi kadın", "o akşam televizyonda gördüğümüz." "Ha, o mu, çocukluğumdan tanırım. Annemin eski terzisinin kardeşi." Yalan söylemeyi çok çabuk öğrenmiştim. Bu, beni utandırıyordu. Ya hızla bozuluyordum ya da içimde zaten var olan bozukluk koşullar değişince rahatlıkla ortaya çıkıyordu. Sanki önünde durduğum dekor değişince ben de değişmiştim.

Deniz önümüzden akıyordu.

– Pencereyi açsana biraz, dedi, deniz havası girsin içeri... Denizin kokusunu çok severim.

Pencereyi açtım.

– O iki kadının Pedro Orce'yle sevişmesini sen nasıl yorumluyorsun, dedim.

Düşündü, düşünürken dudaklarını büzüyordu.

– *Gazap Üzümleri*'nde kadının aç adamı emzirmesini hatırlıyor musun?

– Evet.

– Bence aynı şey... Bir çaresize çare olacak bir şeye sahipler ve onu veriyorlar. İyilik böyle bir şey bence. İki unutulmaz sahne.

Dayanamadım, "ne muhteşem vücudunuz var," dedim, "açı doyuruyor, yalnızı teselli ediyor." Yüzüme, kutsal değerleriyle alay eden birine bakan bir dindar gibi hem azarlayan hem ayıplayan bir bakışla baktı. Hemen sözü değiştirdim.

– Televizyonda, diğerlerine benzemeyen yeni seyirciler gördüm, dedim.

– Onların bazılarını eskiden tanıyorum, dedi.

– Gerçekten mi?

– Evet... İşlerine el konmuş ya da tutuklanmış eski iş adamlarının eşleri onlar.

Tedirgin bir sesle devam etti:

– Birisi hepimizi oraya topluyor sanki... Ne yapacaklar, hepimizi orada yakacaklar mı bir gece?

– Yok canım, dedim.

– Abartıyorum ama çok huzursuz oldum. Ben ayrılacağım oradan. Geçen gün eski hocalarımdan birine rastladım, yazacağı kitap için bir yardımcı arıyormuş... Bana "sen yapar mısın" dedi.

– Babanın durumunu biliyor mu?

– Anlattım. "Ben aldırmam öyle şeylere, korkmak için çok yaşlıyım" dedi.

– Kabul edecek misin?

– Edeceğim. Orası bana göre bir yer değil zaten.

Sıla'nın bir daha televizyona gelmeyeceğini duymak içimi ferahlatmıştı, Hayat Hanım'la ikisinin aynı yerde olması beni tedirgin ediyordu.

– Seveceğin bir işte çalışman daha iyi, dedim.

Yağmur başlamıştı.

– Pencereyi kapatsana, dedi, üşüdüm biraz.

Pencereyi kapattım.

– Birer çay daha içelim mi, dedim.

– İyi olur... Güzel burası... Denize bakmayı özlemişim.

Bir süre konuşmadan denize bakarak çaylarımızı içtik.

– Senin en büyük hayalin ne, dedim.

Dudaklarını büzdü, düşünüyordu.

– Güvenli bir hayat yaşamak... Şu andaki en büyük, hatta tek hayalim bu. İlerde ne olur bilmem.

Sonra o bana sordu.

– Senin en büyük hayalin ne?

– Üniversitede ders vermek... Edebiyat anlatmak.

– Seninki daha kolaymış.

– Evet... Ama çok istiyorum. Sen Nermin Hanım'la Kaan Bey'i tanıyor musun?

– Tanımıyorum ama adlarını duydum.

– Yarın sabah Nermin Hanım'ın dersi var, birlikte gidelim mi? Onun dersini dinlemeni isterim.

– Olur, dedi. Yarın dersim yok, seninle gelirim.

Çok sevindim, o kadar çok sevinmeme kendim de şaşırdım. Yağmur hızlanıyordu. Sıla ile aramızda ortak zevklerden, benzer geçmişlerden, edebiyattan, en önemlisi de başımıza gelen felaketlerden oluşan kuvvetli ve özel bir bağ vardı. Ama bu bağla ne yapacağımızı bilemiyor, bir karar veremiyorduk, arkadaş mı kalacaktık, birer sırdaşa mı dönüşecektik, yoksa sevgili mi olacaktık. Ben bu kararsızlığın duygularımızdaki belirsizlikten kaynaklandığını sanıyordum. Daha sonra ona "birlikte olmaya karar vermemiz çok uzun sürdü" demiştim, "yoo," demişti, "zor olan birlikte olmaya karar vermek değildi, bunu bir han odasında yapıp yapmamaya karar vermekti." Onun anlık isteklere hiç aldırmayan, arzuyu ve şehveti yok sayan bu sıradan hesaplılığı beni irkiltmişti. Ama duygular dediğimiz isyankâr nöronların şimşekleriyle örülmüş dünya çok garipti, beni irkilten o hesaplılık aynı zamanda beni güçlü biçimde çekiyordu. O sert hesaplılığı kırıp onun içindekini görmek istiyordum. Orada, kolu koluma değdiğinde hissettiğim kıvılcımlı sıcaklığı bulacağımı, edebiyatla derinleşen o sıcaklığın beni mutlu edeceğini düşünüyordum. Hiç beklenmedik anlarda, o da, sert yüzeyin altındaki o yumuşacık, tatlı özü bir sözle, bir bakışla, bir dokunuşla, bazen de bir gözyaşıyla bana gösterip, bu hayalimi hep canlı tutuyordu.

Dönerken, "söylesene," dedim, "yeniden paran olsaydı ilk ne yapardın?"

Hiç duraksamadan cevap verdi:

– Parfüm alırdım.

– Parfüm mü?

– Parfüm... Alıştığım koku olmayınca kendimi eksik hissediyorum.

Bunu, annesinden duyduğu bir sözü tekrarlayan küçük bir kız gibi söylemişti.

Onu eve bıraktıktan sonra hana döndüm, arabayı arka sokaklardan birine park ettim, yol üstündeki bakkallardan birinden yarım ekmek, peynir, bir kutu da bira alıp odama çıktım. O boğucu yalnızlığım geçmişti. Hayat Hanım'ı özlüyordum ama Sıla'yla vakit geçirmeyi de seviyordum. Birbirlerine hiç benzemiyorlardı, hatta birbirlerinin tümüyle zıddı karakterlerdi. Nermin Hanım'ın sözlerini hatırladım: "Bir edebiyat eserinde keskin zıtlıklardan kaçınmak gerekir, çok keskin zıtlıklar eseri ucuzlatır... Ya da çok keskin bir şekilde zıt karakterler yazmak istiyorsanız, o zaman bu zıtlığı bir bütün oluşturacak biçimde kullanmalısınız."

Ertesi sabah Sıla'yla buluşacağımı bilmek huzurlu bir güven veriyordu. İnsanın yatağa, ertesi gün birisiyle konuşabileceğini bilerek girmesinin nasıl büyük bir armağan olduğunu anlıyordum. Hayat Hanım'ın nerede olduğunu merak ediyordum ama özlemim ve merakım bir gün öncesine kıyasla biraz daha yatışmıştı. Çok çabuk değişiyordu duygularım. Büyük bir sarsıntıyla temeli çatlamış bir binayı andırdığımı hissediyordum, binanın içindeki hiçbir şey sağlam ve güvenilir değildi artık. İçimdeki çatırtıları duyuyordum.

Balkona çıkıp sokağa baktım. Eski kalabalık yoktu, sanki oraya gelen insanlar her gün düzenli biçimde eksiliyordu. Soyunup yatağa girdim.

Sabahleyin kahvaltı etmeden çıktım. Sıla arabaya elinde iki poğaçayla bindi, "sana poğaça aldım," dedi. Sıcak, peynirli poğaçalarımızı yiyerek hiç konuşmadan okula gittik. Çok güzeldi.

Onun güzelliği, iyi bir roman gibi beni içine çekip heyecanlandırıyordu, bir minnet hissediyordum.

Sınıf her zamanki gibi çok kalabalıktı. Arka sıralardan birine yan yana oturduk. Nermin Hanım sınıfa girince Sıla kulağıma eğilip "ayakkabıları çok şık" dedi.

Gözlüklerinin sapını tıkırdatarak anlatıyordu Nermin Hanım:

– Yazarlar, insanların duyamadığı sesleri duyan, koklayamadığı kokuları koklayan hayvanlar gibi insanların algılayamadığı, onların algılama düzeyinin altında ya da üstünde kalan birçok olayı, birçok duyguyu, bilinçaltı denilen karanlığa yerleşmiş şekilsiz ve isimsiz arzuları algılayabilirler. Ama insanların rahatça gördüğü, anladığı, kokladığı, parmaklarının ucunda hissettiği bazı açık gerçekleri de görmekte, anlamakta yetersiz ve aciz kalırlar.

Sınıfı gözleriyle taradı.

– Kesin ve açık gerçekler yazarların karmaşık zihnine girmekte, oraya giren yolu bulmakta zorluk çekerler... Bu tuhaf zıtlık, bütün gerçekliği, bütün hayatı değiştirir. Biz kendi hayatımızda olup da farkına varamadıklarımızı yazarların aracılığıyla edebiyatta görürüz. Onların, aslında bütün okurlarda bir hayranlıkla birlikte gizli bir öfke de yaratan gücünü, sıradan bir hayatı yaşamaktaki başarısızlıklarına şahit olduğumuz için affederiz. Yazar biyografilerinin bize bu kadar çekici gelmesinin nedeni bu acıklı zıtlığı bize göstermesi, okurun yazarı affetmesini sağlaması, kendisini yazardan daha üstün görmesine yardımcı olmasıdır.

Kürsüye oturup bacak bacak üstüne attı.

– Baudelaire'in *Albatros* şiiri bu çelişkiyi en güzel biçimde anlatan örneklerden biridir... Bu geniş kanatlı kuş uçarken ne kadar görkemliyse bir geminin güvertesine konup insanların arasında dolaştığında da o kadar zavallı ve çaresizdir.

Dersten sonra Sıla'ya, "kantinde yemek yiyelim mi," dedim. "Pahalıdır," dedi. Yoksulluğu bu kadar vurgulamasının bir tür yoksulluktan intikam almaktan mı yoksa gerçekten parasızlıktan kaynaklanan çaresizlikten mi olduğunu kestiremiyordum. Ondan ayrılmak istemiyordum. O akşam da televizyonda program yoktu ve ben yalnız kalmaktan ürküyordum.

– Sinemaya gidelim mi, dedim.

– Sinemaya mı?

– Evet.

Şöyle bir durakladıktan sonra büyük bir hovardalık yapar gibi "Hadi gidelim," dedi. "Çoktandır sinemaya da gitmedim."

Yolda, "Nermin Hanım'ı nasıl buldun," dedim. "Güzel anlatıyor," dedi. "Sanki yazarların bile üstündeymiş gibi bir kibri var ama o kibri çekiciliğe dönüştürmeyi beceriyor."

– Eve dönünce, dedi, internetten *Albatros* şiirini bir daha okuyacağım.

Bir alışveriş merkezindeki bir sinemaya gitmeye karar verdik. Sıla hiçbir dükkana bakmadan yürüyen merdivenlerden sinemaların olduğu en üst kata hızla çıkarken ben de onun hızına şaşarak peşinden gidiyordum.

– Hangisine gidelim, dedim.

– Hangisi olursa... Aralarında özellikle seyretmek istediğim biri yok... En yakın seansa bilet al, bakalım şansımıza ne çıkacak.

İki öğrenci bileti aldım. Film başladığında çantasından bir gözlük çıkarıp taktı, daha önce onu gözlükle görmemiştim. Bir aksiyon filmiydi. Büyük bir ciddiyetle seyrediyordu filmi, kolu koluma değiyordu. Arada bir dönüp ona bakıyordum.

Ara olunca, "patlamış mısır alayım mı," dedim, "eğer sorumsuzluk olmazsa..."

Gözlüklerini çıkarıp bana baktı.

– Beni kızdırma, dedi.

Aynı yaştaydık, benzer ailelerden geliyorduk, benzer eğitimler almıştık, benzer kitapları okumuştuk ama benim herhangi birine onun kadar zarif, onun kadar tehditkar, onun kadar çekici biçimde "beni kızdırma" deme ihtimalim yoktu. Eğilip onu öpmek istedim. Ondan çekindiğimi hissediyordum, tam neden çekindiğimi bilmiyordum ama beni çok tatlı, çok çekici bir biçimde korkutuyordu.

Filmin ikinci yarısında gene gözlüklerini taktı, kolum, bazen omuzum ona değiyordu. Onun bu dokunuşları hissedip hissetmediğini bilmiyordum ama ben hissediyordum. Film bitince sinemadan çıkıp ağır ağır merdivenlerden inmeye başladık, alışveriş merkezi boş gibiydi, çok az insan vardı.

Merdivenlerin bitiminde birden çok ünlü bir çikolata markasının dükkanı çıktı karşımıza, vitrini kuyumcu vitrinleri gibi ışıl ışıldı. Vitrinin önünde durdu, çikolatalara bakmaya başladı. Gümüş tepsiler içinde parmak biçiminde portakallı çikolatalar, uçları yeşil şamfıstık tozuna batırılmış marondegizeler, yuvarlak madlenler, deniz kabuğu biçiminde pralinler, kırmızı yaldızlı kabukları içinde vişneli fondanlar, siyah inciler gibi yığılmış üzümlü drajeler...

– Hangisini en çok seversin, dedim.

– Hepsini severim, dedi, ama galiba en çok portakallıları severim.

– Yüz gram alalım mı?

Hiç sesini çıkarmadı.

Ben dükkâna girerken arkamdan seslendi:

– İki tane de marondegize koysunlar üstüne.

Dükkâna girdim, kırmızı lacivert çizgili çok şık bir önlük giymiş tezgahtara, "yüz gram portakallı çikolata rica ediyorum," dedim. Adam süslü kutuların alt tarafından küçük bir kese kâğıdı çıkardı, ince naylondan bir eldiven giyip portakallı çikolataları koymaya başladı. Kese kağıdını tartarken, "iki tane de marondegize rica edeyim," dedim.

Adam acıyarak baktı yüzüme. Kese kâğıdına iki tane de marondegize koydu. Çıkınca kese kâğıdını Sıla'ya uzattım. Alıp iki elinin arasında tuttu. Yüzünde çok sevinen küçük kızları andıran parlak bir gülümseme belirdi, onun böyle bir gülümsemesi olduğunu bilmiyordum, daha önce onun bu kadar sevindiğini görmemiştim.

Alışveriş merkezinin altındaki otoparka inip arabaya bindik. Sıra sıra beton direkleri, direklerin arasına sıralanmış lahitleri andıran karanlık arabaları, duvarlara gömülmüş soluk lambalarıyla otopark tarih öncesinden kalma bir yeraltı mezarlığına benziyordu. Tam arabayı çalıştıracakken bir tuhaflık olduğunu hissettim. Dönüp baktım. Ağlıyordu.

– Ne oldu, dedim.

– Yok bir şey, dedi.

Daha da telaşlandım.

– Ne oldu, dedim tekrar.

Birden hıçkırıklarla sarsılmaya başladı.

– Bazen dayanamıyorum, dedi hıçkırarak, yüz gram çikolataya bu kadar çok sevinmeye dayanamıyorum.

Ne söyleyeceğimi bilemedim. Sustum.

Eliyle gözlerini silerken, "özür dilerim," dedi, "hadi çıkalım buradan."

Otoparktan çıktık.

Kese kâğıdını bana uzattı.

– Teşekkür ederim, dedim, sen ye, ben çikolataya o kadar düşkün değilim.

İnce parmaklarıyla kese kâğıdından bir portakallı çikolata çekip çıkardı. Ucundan ısırdı. Yavaş yavaş tadını çıkararak çiğniyordu.

Isırdığı çikolatayı bana doğru uzattı.

– Isır, dedi, çok güzel.

Isırdım, epeydir çikolata yememiştim, gerçekten çok güzeldi. Kalan küçük parçayı ağzına atıp parmaklarının ucunu usulca yaladı.

Aynı çikolata parçasını sırayla ısırıp yemek, insanın ancak en yakınıyla yaşayabileceği bu muhteşem mahremiyet bana gizli bir sevişme gibi gelmiş, aniden onu çırılçıplak görmüşüm gibi heyecanlanmıştım. Sanki o çikolatayı ısırırken birbirimize sarılmış, en derinlerdeki gizli sıcaklığı hissetmiştik. Ona karşı büyük bir arzu, bütün kasıklarımı yakan bir istek, aynı zamanda o yakıcı isteğe hiç benzemeyen şefkat dolu bir sevgi duyuyordum. Tek bir çikolata parçası aşka benzer bir duygu yaratmaya yetmişti.

Dümdüz önüme bakıyordum.

Eskiden bu kadar küçük bir jest bu kadar büyük duygu hareketlilikleri yaratmazdı içimde, yalnızlığım büyüdükçe duygularım da yağmur bulutları gibi kabarıp o geniş yalnızlığın içinde, nerede duracağını bilemeden hızla hareket ediyordu.

Evine yaklaştığımızda:

– Yarın ne yapıyorsun, dedim.

– Yarın ve öbür gün okulum var. Ama ondan sonra serbestim.

– Seni ararım, dedim.

İnmeden önce bana doğru eğilip dudağımın kenarından öptü. Dudaklarının sıcaklığını, çikolata kokusunu duymuştum.

VI

Sabah erkenden kalkıp köşedeki bakkaldan yarım ekmek alıp içine kaşar peyniri koydurdum. Mutfağa dönüp bir tabağa yerleştirdiğim ekmeği masanın üstüne bıraktım. Ocağın yanına gidip kendime çay koyarken arkamdan Gülsüm'ün sesini duydum.

– Bu ekmek kimin?

Dönüp "benim" dedim.

Kalçalarına yapışmış daracık mini eteği, memelerinin büyük kısmını açıkta bırakan fermuarı neredeyse göbeğine kadar indirilmiş leylak rengi eşofman üstü, yüksek ökçeli kırk dört numara ayakkabıları, önündeki bir buklesi sarıya boyanmış dağınık siyah saçları, gözlerini yuvarlak mor bir maskeye çeviren hafifçe akmış makyajı, dudaklarından taşan parlak rujuyla, geçen yüzyıldan kalmış mutfağın içinde rengârenk bir uzay gemisi gibi duruyordu. Her zaman olduğu gibi ben de hafif bir ürküntü yaratıyordu.

– Hay Allah, dedi, ben de biri unuttu sandım, açlıktan ölüyorum.

– Yarısını al, dedim. Çay da ister misin?

– İsterim valla...

Ekmeği ikiye bölüp yemeğe başlamıştı. Çayları getirip karşısına oturdum. Karşılıklı iştahla yerken, "sabaha kadar öldüm valla," dedi, "iki herif parçaladı beni. Müteahhitlermiş. Yeni müteahhit olmuşlar. Para bu heriflerde. Esnaf battı. Sabaha kadar paraladılar beni."

Durup güldü.

– Ama güzel para verdiler. Her yanım çürüdü ama değdi valla. Gene gelecekler.

İçki kokuyordu, sarhoş gibiydi. Sözlerindeki arsızlığa rağmen sesinde yolda para bulmuş yoksul bir çocuğun masum sevinci de duyuluyordu ama arada bir hissedilen bu masumiyetle saldırgan bir edepsizliğin çok çabuk yer değiştirebileceğine birkaç kez tanık olmuştum. Bir keresinde Tevhide'ye çikolata getirmişti, herkes gibi o da küçük kızı çok severdi, çocuğun şekerli şeyler yemesini istemeyen Emir, "Tevhide çikolata yemiyor" deyince çocuğa çikolata getiren sevimli teyze birden şirret bir kabadayıya dönüşmüş, "ben senin çocuğuna çikolata vermeye layık değil miyim" diyerek Emir'in üstüne yürümeye kalkmıştı. Bir tatsızlık, Tevhide'nin "ama sen de çok çabuk sinirleniyorsun Gülsüm" demesi üzerine kahkahalarla önlenmişti.

– Bir şey sorabilir miyim, dedim biraz da ürkerek.

– Sor bakalım, dedi, genellikle bir şey sorabilir miyim denince arkasından yamuk bir soru gelir ama sor... Neyi merak ediyorsun?

Aslında bir kadınla bir erkeği, birbirini arayan, birbirini arzulayan, birbirine âşık böyle bir çifti aynı bedende taşımanın nasıl bir şey olduğunu soracaktım ama bunun "yamuk" bir soru olacağından korkup o anda aklıma gelen başka bir şeyi sordum.

– Niye adamlar kadınlara gitmiyorlar da size geliyorlar?

– Herifler bizi istiyor, dedi, biz onların ne istediğini daha iyi biliyoruz, uçuruyoruz onları... Karılarda bulamadıklarını buluyorlar bizde.

Lafı değiştirmek için, "Senin en büyük hayalin ne Gülsüm?" dedim. Arkasına yaslandı, "en büyük hayalim mi," dedi. "Evet," dedim. Dirsekleriyle masaya dayandı, yüzü ciddileşmişti.

– Bir derbi maçını stattan seyretmek, dedi.

– Maça gitmek mi, dedim şaşırarak.

Birden sinirlendi.

– Ne var, dedi, kadınlar gitmiyor mu? Ben niye gitmeyeyim?

"Yok, öyle demek istemedim," gibi bir şeyler mırıldandım ağzımın içinde.

– Sevdiğin, hayalini kurduğun biri yok mu?

Yüzünü buruşturdu kederli bir öfkeyle.

– Bir hayvan var, dedi, şuradaki lokantalardan birinde aşçı. İçip içip azınca, gel Gülsüm... Sabaha kadar lokantanın arkasında düzer. Beni seviyor musun, deyince, çok seviyorum Gülsüm. İşi bitince de bir daha azana kadar aramaz. Kalkınca herkes herkesi sever, erkeklik inin#ce de sevmekte. Ama nerede öyle erkek. Domalt becer, sonra siktir git... Hepiniz böylesiniz.

Mutfakta yeni bir Türkçe, tümüyle farklı yeni bir dil öğreniyordum, kelimeler gerçek anlamlarından başka anlamlar taşıyorlardı bu dilde.

– Niye bana yükseliyorsun ki, dedim. Neden bana rüzgâr yapıyorsun?

Kelimeleri acemice, yeni konuşan bir çocuk gibi söylemiştim ama Gülsüm kelimelere alışkın olduğundan sadece onları duydu, benim söyleyişimdeki acemiliği biraz da sarhoşluğu nedeniyle fark etmedi.

Güldü.

– Birden yükseldim hakkaten. Benim ayıdan bahsedince böyle oluyorum. Hayvanı hem özlüyorum hem kızıyorum.

Ekmeklerimizden aynı anda ısırdık.

– Tehlikeli değil mi senin iş?

– Tehlikeli tabii... Olmaz mı? Tanımadığın adamların altına yatıyorsun, hırlı mı hırsız mı bilmiyorsun, arkan dönük, herif bir bıçak taksa görmezsin bile.

Ekmeğini bitirmişti. Kalktı.

– Ekmek için sağol, dedi giderken. Gidip yatayım. Öldüm yorgunluktan...

Tam kapıdan çıkarken içeri giren Şair'le karşılaştı, yüzündeki sarhoş gülümsemesinin silindiğini, yerini hayran olduğu bir büyükle karşılaşan birinin yüzünde görülecek türden saygılı bir ifadeye bıraktığını gördüm. "Nasılsın Gülsüm," dedi Şair omzuna dostça vurarak. "İyiyim abi, işten geldim, yatmaya gidiyorum."

Şair semavere doğru yürürken "hadi bakalım, iyi uykular," dedi, sonra da gülerek ekledi:

– Sen hâlâ avludan geçemiyor musun?

Gülsüm utanarak önüne baktı.

– Geçmem abi... Çarpılırım.

– Bir gün birlikte geçeriz, dedi Şair.

Gülsüm çıktıktan sonra merakla kendisine baktığımı görünce, "sokağın alt tarafındaki küçük cami var ya," dedi, "evet" dedim, "hani herkes kestirme diye onun avlusundan geçer, Gülsüm oradan geçemez, ta meydana kadar yürüyüp oradan gelir, camiye yaklaşırsa çarpılacağına inanıyor, günahkâr olduğu için bu hâliyle camiye yaklaşma hakkı olmadığını düşünüyor." Çok şaşırmıştım.

– Dindar mı Gülsüm, dedim.

– Neden olmasın, dedi, onun dindar olmaya hakkı yok mu?

Kendi söylediğimden utanmıştım. Şair güldü:

– Tanrı'nın insanları ciddiye aldığına inanıyor, dedi.

Ben de güldüm, "almıyor mu" dedim.

– Neden alsın, Tanrı yaptığından çoktan pişman olmuş, unutmaya çalışıyordur, eminim hatıra defterinden bu sayfayı yırtıp atmıştır.

Çayını bitirdi, bardağını yıkayıp kuruladı.

– Polislerin götürdüğü çocuklar ne oldu, dedim.

– Onları tutukladılar.

– Neyle suçluyorlar?

– Bulurlar bir suç, suç mu yok?

Kapıya doğru yürürken "neyse" dedi, "şimdi gitmem lazım ama rahat bir zamanda oturup konuşalım biraz." "Olur" dedim.

Ben insanları, sonsuza uzanan insanlık örtüsünün altından romanların çıkarıp gösterdikleri kadar tanıyordum. İnsanlar bana hep edebiyatın parlak ışığından yansımıştı. Hayatımda ilk kez insanları, kendi zihnimin ışığı altında, başka hiçbir mercek kullanmadan görüyor, aslında onları hiç tanımadığımı anlıyordum. Gülsüm'ün en büyük hayalinin bir maça gitmek olduğunu asla hayal edemezdim. Ama beni daha da şaşırtan Gülsüm'ün, yaşadıklarından, çektiklerinden yapmak zorunda kaldığı işten, karşılaştığı tehlikelerden dolayı, onu yarattığına inandığı Tanrı'yı değil de, kendisini suçlamasıydı. Daha sonraları, Gülsüm bıçaklanıp hastaneye kaldırılınca Bodyguard'la ziyaretine gittiğimizde, sadece kendi başına gelenlerden değil bütün olanlardan kendisini sorumlu tuttuğunu, kendisinin ve sevdiklerinin cezalandırıldığına inandığını görmüştük. Ağlamış, gözlerini saçlarına sardığı tülbentin ucuyla kurulamıştı. Ona hiçbir zaman dokunamadığım hâlde "üzülme" diye elini tutmuştum. Bodyguard, benim gibi kafasının arkasında bir sürü farklı duygu ve düşünce dolaşmadığı için, çok kabaca ama benden çok daha dostça "uçuyorsun Gülsüm" demişti. Ben insanları belki Bodyguard'ın onları sevdiğinden daha fazla seviyordum ama bu sevgi, düşüncelerle, yargılamalarla, önyargılardan beslenen suçlamalarla solup saflığını ve dürüstlüğünü yitiriyordu.

Trajik bir olaya çok yaklaştığımız günlerden birinde, gene Gülsüm'ün başına gelen bir olaydan dolayı bunalıp karşımızdaki meyhanede içerken Şair, "insanları sevmek çok geniş bir laf" demişti, "sevmek gerekmiyor ama ezilen bunca çaresiz insan bir araya gelebilir, birlikte bir çare bulabilirler."

Bu konularda genellikle sessiz kalan Emir hiç beklenmedik biçimde o sakin sesiyle "tarih bize insanlarda hep böyle bir niyet olduğunu ama yeterli irade olmadığını gösteriyor," demişti. "Ne yaparlarsa yapsınlar dönüp o aynı kötülük kapanına düşüyorlar. O kapan orada hep açık duruyor. Tarımı keşfettikten sonra mutlu olmuş herhangi bir toplum söylesene."

Ben gülmüştüm, "avcı toplayıcı kabilelere dönmemizi mi öneriyorsun?"

– Öyle bir seçenek olsa ben oyumu ondan yana kullanırım.

Şair ciddileşmişti, "sınıfsal bilinçaltınız bugünkü dünya düzenini haklı çıkaramayınca, geçmişe, kaçışlara sığınıyor" demişti. Emir aynı sükûnetle, "sen de sınıfsal bilinçaltınla bugünden geleceğe kaçmaya çalışıyorsun" diye cevap vermişti. "Neticede hepimiz bugünden kaçmaya uğraşıyoruz işte. Bazılarımız geriye bazılarımız ileriye, bugüne bir çare bulamıyoruz çünkü."

"Hepimiz kaçıyoruz anladığım kadarıyla" demiştim. Önündeki pirzolaya dalmış gibi gözüken Tevhide birden heyecanlanmıştı, "nereye kaçıyorsunuz" demişti, "ben de kaçarım o zaman." Şair, Tevhide'nin başını okşamıştı, "sen kaçma Tevhideciğim, bari sen kal," demişti.

Bir uçurumun kenarında konuştuğumuzun tam farkında değildik ama birbirimize kendi üslubumuzca tutunmaya uğraşıyorduk. Aramızdan biri tutunamayıp düşecekti ama bunu bilmiyorduk. Şair hepimizi güldüren hikâyeler anlatmıştı, Tevhide hepimizden çok gülmüştü.

Konuştuklarımızı Hayat Hanım'a anlattığımda, sanki bu konuları daha önceden düşünmüş gibi hiç duraklamadan, "insanlar kendilerinden başka her şeyi değiştirebiliyorlar" demişti. "Bir tek kendilerini değiştiremiyorlar. Onların laneti de bu."

Aynı konuyu Sıla'yla konuştuğumda, o bana Kaan Bey'in sözlerini hatırlatmıştı, "sahip olma duygusu değişmeden insanlar nasıl değişebilir ki... Edebiyat, bu değişememenin yarattığı çıkmazı anlatmıyor mu zaten? Emir'in kötülük kapanı dediği bu duygu olmalı."

Gülsüm'le Şair gittikten sonra boş mutfakta bir bardak çay daha içip ben de dışarı çıktım. Güneşli güzel bir gündü. O akşam program vardı, Sıla gelmeyecekti, Hayat Hanım'ın gelip gelmeyeceğini bilmiyordum. Bu akşam da gelmezse bir daha gelmeyecek demekti.

Karıncaların Hayatı kitabını aramak için sahaflar pasajına gitmeye karar verdim. Pasajda kimse yoktu. Bana köylülerin resmini veren adamın dükkânına baktım. Kapanmıştı. Vitrinine gazete kâğıtları yapıştırılmıştı. Bütün pasajda üç açık dükkân kalmıştı. Birine girip kitabı sordum. Adam, "çoktandır bu kitabı soran olmamıştı," dedi, "yeni baskısını yapmadılar. Bulması çok zor. Eski zamanlar olsa bulurdum da ben kitabı bulana kadar dükkanı kapatırız, bugün yarın yıkacaklar burayı."

Çıktım. Eskiden yalnızlığı severdim ama şimdi yalnızlıktan sıkılıyordum. Sokaklarda yürüdüm. Sanki bütün kent yalnızlıktan sıkılıyordu, bana öyle geliyordu. Akşam üstüne doğru odama döndüm. Biraz mitoloji sözlüğünü okudum, tanrılar kurtarmak istediklerini "bulutlara sarıp" kaçırıyorlardı, beni de kaçırsalar diye düşündüm, ya da köylüler beni de eğlenceye götürseler. Bunları düşünürken uyumuşum. Geç kalacağım diye telaşla uyandım ama daha programa vakit vardı. Yürüyerek televizyona gittim.

Program yeni başlamıştı. Işıklı karanlığa girer girmez sahneye baktım, Hayat Hanım bal rengi tuvaletiyle her zamanki yerinde oturuyordu. Sanki o ana kadar hep eksik nefes alıyormuşum gibi ciğerlerim havayla doldu, sevinçle geniş bir soluk aldım. Bir ara yüzü ekrana yansıdı, biraz sonra kendi yüzümü de ekranda gördüm, kederli bir yüzdü, çok şaşırdım çünkü sevinçli olduğumu sanıyordum.

Sarı üstüne siyah desenli bir tuvalet giymiş kısa saçlı bir şarkıcı oynak şarkılar söylüyordu, Hayat Hanım da herkesle birlikte ama herkesten daha güzel ve herkesten daha fazla tadını çıkararak oynuyordu. Vücudu ahenkle salınıyordu.

Ara olunca Hayat Hanım platformdan inip yanıma geldi.

– Nasılsın Antonius?

– İyiyim, teşekkür ederim, siz nasılsınız?

– İyiyim, gel dışarı çıkalım.

Koridora çıktık. Kalabalıktı. Yanyana iki sandalyeye oturduk.

– Programdan sonra kaybolma da yemek yiyelim, dedi.

– Olur, dedim.

Tam o sırada bir sessizlik oldu, herkes hafifçe kenarlara doğru çekilerek sustu. Orta boylu, geniş omuzlu, çatık kaşlı, takım elbise giymiş bir adam merdivenlerden inmişti, arkasında da koyu renk elbiseleri olan uzun boylu iki kişi yürüyordu. Adam önümüzden geçerken Hayat Hanım'ı görünce, "Nasılsın Hayat" dedi. "İyiyim, sen nasılsın?"

Aralarında öyle mesafeli bir selamlaşma biçimi vardı ki böyle bir mesafe ancak bir zamanlar çok yakın olmuş insanlar arasında görülebilir gibi geldi bana. Birbirlerine hitap ediş biçimlerindeki samimiyet ile seslerindeki uzaklık, bu garip çelişki, ancak çok mahrem anları paylaşmış ve o defteri daha sonra kapamış insanlar arasında olabilirdi. Bunu nasıl sezdiğimi bile bilmeden sezmiştim. Bu tür şeyleri görmek için tecrübeli olmaya gerek yoktu, çok özel bir selamlaşma biçimiydi bu, farklılığıyla hemen dikkat çekiyordu.

Başka bir şey konuşmadılar. Adam arkasındakilerle birlikte yürüyüp geçti.

– Kim bu adam, dedim.

Hayat Hanım soğuk bir sesle:

– Ondan uzak dur, dedi.

Hayat Hanım'a buradaki işi kimin bulduğunu anlamıştım. Nedenini ve hedefini tam kestiremediğim bir öfke dolmuştu içime.

Program bitince Hayat Hanım'ın üstünü değiştirmesini bekledim. Birlikte çıktık.

– Ben arabayı getirmedim, dedim, hanın yakınında bir sokağa park ettim. İsterseniz gidip alalım ya da ben gidip getireyim.

– Orada kalsın daha iyi, dedi, gece vakti bizim orada park yeri bulamayız, hiç uğraşmayalım.

Biraz yürüdükten sonra "istersen evde yiyelim," dedi, "ben bir şeyler hazırlarım. Yoksa lokantaya mı gitmek istersin?"

"Evde yiyelim" dedim, sesim biraz küskün çıkıyordu, sanki sesim benden bağımsız olarak Hayat Hanım'a küsmüştü.

Bir taksiye bindik. Hayat Hanım'ın evine giden yokuşun başındaki büyük şarküterinin ışıkları yanıyordu. Arabayı durdurdu, "gel" dedi, "buradan bir şeyler alalım, yemek pişirmek için uğraşmayız."

Tezgahtar "buyrun Hayat Hanım" diye karşıladı bizi, "nasılsınız?" "Teşekkür ederim, ne o bu saatte açıksınız?" "Mal gelecek de onu bekliyorum, o arada da belki müşteri gelir diye kapatmadım," "işler nasıl," "kesat, o eski işler yok artık, kimsede para yok, olan da parasına sıkı sıkıya sarılmış vaziyette, herkes yarınından korkuyor."

Hayat Hanım'ın o korkanlardan olmadığı çok açık bir biçimde anlaşılıyordu. Dil, Macar salamı, pastırma, dana jambon, Rus salatası, turşu, humus, midye dolma, iyi bir şişe şarap... İştahla satın alıyordu. Kocaman bir paket oldu, taşırken zorlanıyordum.

– Dükkâncıyı ihya ettik, dedim.

Ne demek istediğimi soran gözlerle baktı.

– Adam herkesin para harcamaktan korktuğunu söyledi ama siz korkmuyorsunuz anlaşılan.

– Ben korkmaktan hoşlanmam, sıkılırım korkudan.

– Parasızlık çok zor...

– Parasızlığın ne olduğunu biliyorum Antonius. Para varken para var gibi yaşanır, para yokken de para yok gibi yaşanır. Para yokken var gibi yaşamak nasıl budalacaysa varken de yok gibi yaşamak budalacadır. Para bitince düşünürüz. Şimdi var, tadını çıkaralım.

– Para bitince düşünmek için geç olmaz mı? Sürünmek de var.

Evin kapısına gelmiştik. O alaycı gülümseyişle yüzüme baktı.

– Sen benim korkmamı mı istiyorsun?

– Evet.

– Niye?

– Biraz korkmak iyidir.

Ciddileşti.

– Korkmak her zaman kötüdür, dedi.

Sonra gene gülümsedi.

– Sen de korkma Antonius... Korkacak bir şey yok hayatta... Hayat, yaşamaktan başka işe yaramaz. Cimri adamlar gibi her şeyi erteleyerek hayatı biriktirmeye kalkmak budalalık olur. Birikmez çünkü... Sen harcamasan da o kendi kendini harcar, tükenir.

Asansörde çıkarken, "dünya şimdi bir titrerse görürsün," dedi gülerek, "buralar çöl olur, paralar da kum olur."

Zambak kokusunu duyuyordum. Eve girince, "sen otur, ben üstümü değiştireyim," dedi.

İnce askılı plaj elbisesiyle siyah terliklerini giymişti. İnce kumaşın altında memelerinin ve kalçalarının özgürce kımıldanmasından elbisenin içinde çıplak olduğunu anlamıştım. Korkuyu, parayı, dünyayı birden unutmuştum, bütün zihnim daha önce yaşadıklarımızın kışkırtıcı anılarıyla dolmuştu. Hayat yaşamaktan başka bir işe yaramıyordu ve benim o anda yaşamak istediğim tek bir şey vardı, o istediğimi o anda yaşayabilmek için her şeyden vazgeçebileceğim tek bir şey...

Ona nasıl baktığımı gördü.

– Aç değil misin, dedi.

– Sonra yesem de olur.

O alaycı, küçümseyici ve kendinden memnun gülümseme... Her yana yayılıyor ve beni içine alıyordu.

– İyi, o zaman.

Dönüp yatak odasına doğru yürüdü.

Onu ne kadar özlemiş olduğumu ona sarıldığımda anladım. Hiçbir şey beni ona sarılmak, onunla sevişmek kadar heyecanlandırıp mutlu etmiyordu. Ona sarıldığımda, o beni kendine doğru çektiğinde ben de anlıyordum: Korkacak bir şey yoktu, korkmaya gerek yoktu. Bana bunu anlatması için bir şey söylemesi gerekmiyordu, sarılması yeterdi.

Onun koynunda korku ve endişe, geçmiş ve gelecek kayboluyordu, sadece ışık dolu bir yalnızlık ve şehvet yüklü bir karanlık vardı. Oradayken büyüyor, yaşlanıyor, olgunlaşıyor ve hiçbir şeye aldırmıyordum. Ondan ayrıldığımda korkularım geri geliyor, zaman genişliyor, endişelerim ve sıkıntılarım büyüyordu ama her seferinde zihnimde ona ait bir hazneye onunla yaşadıklarımdan ve hissettiklerimden bir damla düşüp, altın sikkeler gibi birikiyordu.

Yemeğe oturduğumuzda vakit geceyarısını geçiyordu. Çok acıkmıştım. Mezeler çok güzeldi. Sarkaçlı lambanın kehribar renkli ışığı salona yumuşacık yayılmıştı. Karnımı iyice doyurup biraz da şarap içtikten sonra günlerdir sormak istediğimi sordum.

– Niye beni kovdun?

Onun böyle şaşırdığını ilk defa görüyordum.

– Kovdum mu?

– Kovmadın mı? Git biraz kendi hayatını yaşa ne demek?

Elimi tuttu.

– Böyle düşüneceğin hiç aklıma gelmedi, dedi, ne kadar aptalım. Okula gitmiyordun, işe gitmiyordun, bir süre sonra geleceğini benim yüzümden tehlikeye attığını düşünüp bana kızacaktın. O kızgınlıkla benden bıkacaktın... Bana kızmanı, benden bıkmanı istemedim. Benimleyken sadece beni düşün istiyorum, aklına takılan, seni sonra üzecek bir şey olmasın.

Durdu.

– Neden o sabah bunu sormadın, dedi.

– Çünkü çok kızmıştım.

Gelip kucağıma oturdu, dudaklarımdan öptü.

– Ama çok aptalsın Antonius.

Ciddileşti.

– Bir daha böyle bir şey olduğunda karar vermeden önce bana sor.

Gene güldü, saçlarıyla yüzümü kaplayıp ağzını kulağıma yaklaştırdı.

– Çünkü hem aptalsın hem de yanlış sonuçlar çıkarıp yanlış kararlar veriyorsun.

Birlikte sofrayı topladık. Mutluydum. Duygularım son zamanlarda olduğu gibi gene çok çabuk değişmişti. Bir uçtan bir uca çok kolay savruluyordum, hiçbir ağırlığı olmayan küçük bir tüy yumağı gibiydim.

Kahvelerimizi içerken, televizyonda rastladığımız adamı sormayı gururuma yediremediğim için daha genel bir soru sordum.

– Senin bir erkeği beğenmenin ölçüsü ne, neye göre bir erkeği beğenirsin?

– İnşaat mı bu, ölçüsü, hesabı olsun... Bazılarını beğenirim işte.

– Hangi bazılarını?

– Bilmiyorum... Bunu hiç düşünmedim.

– Hiç mi düşünmedin?

– Hiç düşünmedim. Bir kahve daha içer misin?

İkinci kahveyi içerken televizyonu açtı. Bir belgeselin sonunu yakaladık, Amazon Ormanlarındaki ışıklı bir kırkayağı gösteriyordu. Geceleyin bozkırda giden minik bir tren gibi ışıklar saçarak yürüyor, yiyeceği böceği görünce ışıklarını söndürüyordu. Böceği yedikten sonra ışıklarını yeniden yakıyordu. İçerden bir şey almak için koltuktan kalktı, yürürken arkasından baktım. Etekleri kalçalarına yapışmıştı. Terliklerini giymemişti. Parmak uçlarına basarak yürüyordu. Hesiodos'un "ak topuklu tanrıçaları" anlattığı kitabından bir dize geldi aklıma:

Her nerede yürüse, yumuşacık ayaklarıyla bastığı yerlerden
Yemyeşil çimenler çıkıyordu.

Bana yemyeşil geniş bir çayırlığı anımsatıyordu, yumuşacık, güzel, güneşin ışıklarına kadar uzanan bir çayırlık, sonsuz bir tabiatın içine o tabiatın ayrılmaz bir parçası olarak yerleşmiş: İçinden gelen doğal neşesi, tükenmez bir esintiyle dalgalanan çimenleri andıran yumuşak ve taze şehveti, hayata karşı yaz sabahlarına benzer, dokunduğu her şeye parlak bir hafiflik katan aldırmazlığı...

İstediği her şeyi büyük bir tutkuyla istiyordu: Bir lambayı, oynak bir şarkıyla dans etmeyi, beni, bir şeftaliyi, sevişmeyi, lezzetli bir yemeği... Ama tutkuyla istediği her şeyden o tutku kadar güçlü bir aldırmazlıkla vazgeçebileceğini de hissediyordum. Her şeyi isteme hakkına, her şeyden vazgeçme gücüne sahipmiş gibi davranıyordu. Sanırım isteklerindeki doğal sınırsızlık, vazgeçebileceğine olan büyük inancından kaynaklanıyordu. Vazgeçebileceğine olan inancını kaybettiğinde istemekten de vazgeçecekti.

Dönerken masadan aldığı bir dilim mandalinayı ağzına attı, beni boynumdan öptü, gülümseyerek ayaklarını altına alıp koltuğuna oturdu. Yalnızlığının içine çekildi, kanatlarını toplayıp yuvasına girdi. Ilık bir bahar akşamı, telaşsızca yağan bir yağmur gibi doğal ve sakindi. Acaba, diye geçti aklımdan, belgesellere düşkünlüğü, insanlardan çok doğaya benzemesinden mi kaynaklanıyor.

Nermin Hanım'ın yazarlar için söylediği bir sözü hatırladım. "Edebiyatın kurallarını herkes bilir, o kuralların nasıl bozulacağını yalnızca yazarlar bilir." Yaşamanın kurallarını herkes biliyordu, ben bile biliyordum, o kuralları nasıl bozacağını yalnızca o biliyordu. Doğallığından gelen bir güçle bozuyordu kuralları, birinci kural korkmaktı ve o korkmuyordu... Nerdeyse hiçbir şeyden.

Ona baktım. Hafifçe öne doğru eğilmişti, memeleri uçlarına kadar gözüküyordu.

– Ne o Antonius?

– Artık yatsak mı?

Yatakta da tanrıça gibiydi, Hesiodos'un tanrıçası Hekate gibi "veremediği bir mutluluk yoktu." Her mutluluğu veriyordu ve ben kendimi bir tanrı gibi hissediyordum.

Sabahın ilk ışıkları perdelerin arasından sızarken yorgun bir şekilde yatıyorduk. Yorgunluktan mı yoksa Hesiodos'un şiirinin devamındaki "bazen yardımı kesiverir tanrıça" mısraının tehditkarlığını sevişmenin sonunda hissettiğimden mi bilmiyorum, içimde biriken bütün duygular, o gizli kıskançlık, yalnızlık, yoksulluk, çaresizlik birden duvarlarını yıkıp ortaya çıktılar, hepsi tek bir olayın, babamın ölümünün biçimini aldılar. Hayat Hanım'a babamın son günlerini anlatmaya başladım.

– Geceleri annemi eve gönderip ben kalıyordum. Babam yoğun bakımdaydı. Kurtulamayacağını biliyorduk aslında ama gene de bir mucize umuyorduk. Bütün gece yoğun bakımın önündeki sırada oturuyordum. Oturmaktan yorulduğumda koridorlarda yürüyordum. Koridorlar boş oluyordu. Gece yarısından sonra bir ses duyuluyordu loş koridorlarda. Demir tekerleklerin sesleri. İlk duyduğumda ne olduğunu anlamamıştım. O sesle uzun koridorlardan birinde karşılaştım. Bir gözü kör sıska bir adam bir yatağı çekiyordu, yatağın arkasında baş örtülü bir kadın yürüyordu. Önce ne olduğunu anlamadım. Adamın çektiği yatağın üstüne örtülü çarşafın altındaki insan siluetini fark edince ölüleri taşıdıklarını kavradım. Sabaha kadar ölü taşıyorlardı. Kör adam önde, baş örtülü kadın arkada ölüleri yer altındaki morga götürüyorlardı. O sesi duyduğumda kaçıyordum ama nasıl oluyorsa bir köşeden karşıma çıkıveriyorlardı. Demir tekerlekli ölüm beni kovalıyor, bana babamı da o sesle taşıyıp yer altına götüreceklerini söylüyordu... Bir gece...

Sesim titredi... Başımı Hayat Hanım'ın göğsüne gömmüştüm. Bana sıkıca sarıldı.

– Ölüm, ölüler için hiç de korkutucu değildir oğlum, dedi. Hayat gibi ölüm de sen öldüğünde biter... Sadece canlılar korkar ölümden.

Ağladığım için utanıyordum ama bir yandan da içimin hafiflediğini, yıkandığını, aklandığını hissediyordum, tümüyle bana ait bir acıyı onunla paylaşmanın onu benim ayrılmaz bir parçam haline getirdiğine dair garip, anlaşılmaz ama çok rahatlatıcı bir duyguya kapılmak da içimi ferahlatıyordu. O ferahlıkta onun vücudunu yeniden hissettim, karnım karnına değiyordu. Kalçasını tutunca, "ne oluyor Antonius" diyerek elini aşağıya doğru indirdi.

– Seni azgın ahlaksız...

Sabahleyin mutlu uyandım.

Kahvaltıda "bugün dersim yok, akşam da program yok," dedim.

– İyi o zaman, dedi.

Kalın bir sabahlık giymiş, pencereleri açmıştı, evin içine taze bir serinlik doluyordu. Gözlerinin altı gölgelenmiş, çizgileri derinleşmişti.

– Bir daha sabahlamak yok, dedi, en geç saat üçte kapatıyoruz. Şu halime bak, ben olarak yattım, annem olarak kalktım. Ondan sonra da "beni niye kovuyorsun," eee öldüreceksin beni.

Söyleniyor, bir yandan da iştahla yiyordu. Gözbebeklerinin içinde elmas tanecikleri gibi minicik pırıltılar görülüyordu.

O gün evden hiç çıkmadık. Ev sıcaktı. Çiçek kokuyordu. Huzurluydu. Öğleden sonra televizyon seyrettik. Roma İmparatorluğu'nun, aslında askerlerinin değil mühendislerinin başarılarıyla büyüyüp nasıl yayıldığını, yüzlerce kilometre öteden, dağları, ovaları, nehirleri aşarak şehirlere nasıl su taşıdıklarını anlatıyordu. Büyük bir merakla bakıyordu, Romalıların "ters sifon" teknolojisiyle suları dağlardan yukarı çıkarmaları çok ilgisini çekmişti.

– Bak, suyu tepeye çıkarıyorlar... Nasıl oluyor bu?

– Basınç kanunlarını uyguluyorlar, dedim, su hangi yükseklikten aşağı iniyorsa, basınç sayesinde aynı yüksekliğe tırmanıyor.

– Müthiş değil mi?

Hiç tükenmeyen bir merakı vardı, şaşırtıcı hafızasıyla gördüğü her şeyi hatırlıyordu. Dünya, doğa, tarih, bir çocuğa verilmiş yeni bir oyuncak gibiydi onun için. Sanki bütün kainat, Hayat Hanım'a anlatılacak eğlenceli bir hikaye olsun diye yaratılmıştı.

Belgeselin anlatıcısı, Roma uygarlığının yollarla, su kanallarıyla, sarnıçlarla, hamamlarla gelişip yayıldığını söylüyordu. İngiltere'nin bazı bölgelerinde Romalılardan kalma yollar bugün bile kullanılıyordu. Yaptıkları sarnıçlar ve su kemerleri hâlâ duruyordu. Romalı mühendisler en karmaşık sorunları bile çözecek yöntemler bulmuşlar, askerler onların açtığı yollardan, yaptığı köprülerden geçmişlerdi.

– Hiç mühendislerin adlarını söylemiyor, dedi, ünlü bir mühendis yok mu?

– Komutanlar ünlüdür, dedim, mühendisler değil.

– En ünlü komutan hangisi?

– Jül Sezar.

– Şu kırmızı pelerini olan.

– Jül Sezar'ın Pompeius'u nasıl yendiğini biliyor musun?

– Pompeius kim?

– O da başka bir komutan... Birlikte yönetiyorlardı Roma'yı.

– E, niye kavga ettiler?

– Çünkü ikisi de tek başına yönetmek istiyordu.

– Bu erkeklerin en büyük ben olacağım merakı da gerçekten aptalca...

– Tarih bundan ibaret, dedim.

"Jül Sezar nasıl yendi peki" diye sordu.

Küçük, inatçı bir balık gibi ilgisini çeken bir şey gördüğünde ya da duyduğunda peşini bırakmıyordu.

– Pompeius'un iyi yetişmiş kalabalık süvarileri vardı. Jül Sezar'ın ise mızraklı piyadeleri bulunuyordu. Sezar, Pompeius'un süvarilerinin genç olduğunu fark etmişti. Normalde, piyadeler ellerindeki mızrakları süvarilerin bacaklarına ya da atlarına saplıyorlardı. Sezar, askerlerine "mızraklarınızı süvarilerin yüzlerine yönlendirmelerini" söyledi. Askerler, Sezar'ın söylediğini yaptılar. Bu saldırıdan şaşıran, yüzlerinin yaralanacağını, çirkinleşeceklerini düşünen genç süvariler şaşırıp dağılarak çekildiler. Pompeius savaşı kaybetti.

– Gerçekten böyle mi kaybettiler?

– Plutarkhos böyle anlatıyor.

– Ay zavallıcıklar... Pompeius'un adamları çirkin ve yaşlı olsaydı savaşı o mu kazanacaktı?

Onunla konuşmayı seviyordum. Onunla konuşurken insanlığın en ciddi sorunları, sakar ve salak bir adamın komik maceralarına dönüşüyordu. Kendimi hem salaklığın bir parçası hem de salaklara acıyan tanrılar meclisinin bir üyesi gibi hissediyordum. Elinde her şeyin biçimini değiştiren sihrini sadece kendisinin bildiği bir prizma tutuyordu, o prizmayı nereye çevirse orası binlerce yılda oluşmuş katı kalıplarından kurtulup eğlenceli bir oyun haline geliyordu. Bir tanrıçanın gücüne sahip olduğuna gerçekten inanıyordum bazen.

Ama bir tanrıçanın bir mafya reisiyle ne işi vardı? Bunu anlamıyordum. Soramıyordum da.

VII

Hayatım, garip ve tekinsiz bir dengeye oturmuştu. Bir han odasında tek başıma yaşıyordum ama hayatımda iki kadın vardı, üstelik bu kadınlarla ilişkilerimin bir adı, bir tanımı bulunmuyordu. Benim neyimdiler, ben onların neyiydim bilmiyordum. Birbirimize duygularımızla ilgili tek söz etmemiş, bir vaatte bulunmamış, bir vaat de talep etmemiştik. Her an benden vazgeçebilirler, hayatımdan çıkıp gidebilirlerdi.

Hayat Hanım'la televizyon programlarından sonra birlikte eve gidiyorduk, ertesi sabah ayrılıyorduk. Bir dahaki programdan sonra buluşup buluşmayacağımıza dair konuşmuyorduk. Bazen Hayat Hanım gelmiyordu. Niye gelmediğini de söylemiyordu. Ben de soramıyordum. Neredeyse bilinçli olarak her şeyin bir belirsizlik içinde kalmasını tercih ediyor, hayatı da ilişkiyi de tarif edilebilir bir biçime sokmayı reddediyordu. İlişkimizde düz, keskin, belirgin bir çizgi yoktu, her şey her an biçim değiştirebilir, başka bir şeye dönüşebilir, hatta yok olabilirdi. Bu belirsizlik benim için çok tedirgin edici ama aynı zamanda garip şekilde heyecan vericiydi. Onu da ilişkiyi de sıkıca tutmak istiyor ama bunu beceremiyordum.

Sıla'yla derslerinin ve işinin olmadığı günler buluşuyorduk, sokaklarda yürüyor, arada sinemaya gidiyor, ucuz kahvelerde oturup bazen saatlerce edebiyat konuşuyorduk. Aynı kitapları, aynı kahramanları, aynı yazarları seviyorduk.

İkisine karşı da derin bir bağlılık duyuyor, ikisine karşı da, aramızda verilmiş hiçbir söz olmadığı halde, yoğun bir suçluluk hissediyordum. Yaşadıklarımı altına sakladığım suskunluğum, bütün gerçeği onlara açıklamamam bana ağır bir suç gibi geliyordu. Sessizliğin içinde bir ihanet olabileceğini kendi sessizliğimden öğreniyordum. Onların da bana bütün gerçeği söylemediklerini bilmek bir teselli olmuyordu, aksine suçluluğuma, kıskançlık olmasından kuşkulandığım acılı bir merak katılıyordu.

İkisi de birbirinin yerini almadan zihnimde iki paralel çizgi gibi uzanıyorlardı ama o çizgilerin gölgeleri birbirinin üstüne düşüyordu. Zihnim bu gölgelerle bulanıyor, aydınlığını yitirip beni kararsızlığın alacakaranlığına sürüklüyordu. Ay tutulmasını andıran bu gizemli belirsizliğin kökünde ben mi yoksa onlar mı vardı, bunu da tam kestiremiyordum. Ama insan duygularının geometrisinde paralel iki çizginin sonsuza dek öyle gitmeyeceğini, bir yerde kesişeceklerini daha o zamandan seziyordum. Zihnini gölgelerden kurtaramayan en tecrübesiz insanlarda bile ortaya çıkan o karanlık önsezi bende de vardı.

Bir daha Sıla'yla çikolata almadık. Sanırım o olay, onu bana gösterdiğinden daha fazla sarsmıştı. Parasızlığa nispeten kolay alışmıştık ama yoksul olmaya alışmakta ikimiz de zorlanıyorduk. İkimiz de yoksulluğun küçümsendiği, yeteneksizlikle, başarısızlıkla eşdeğer tutulduğu bir çevrede büyümüştük. Şimdi acınan zavallılar kalabalığı içine düştüğümüzde, zenginlerin bize nasıl baktığını biliyorduk. Yoksulları küçümsemiyorduk ama küçümsenen yoksullardan olmayı içimize sindirmeye de hazır değildik. Belki de hiçbir zaman hazır olmayacaktık.

Hayat Hanım zenginlerle alay ediyordu, "bütün hayatlarını, hayatları boyunca harcayamacakları kadar parayı kazanmak için harcayan budalalar," diyordu gülerek ama Sıla'yla benim bu konuda onun kadar doğal ve rahat olmamız mümkün değildi. Biz, babalarımızın zengin ve dokunulmaz olduğuna, istediğimiz her şeyi yapabileceğimize farkına bile varmadan inanarak büyümüştük. Kibir, bize alınan ilk pahalı oyuncakla tenimizin altına kazınmıştı. Sıla'nın yüzünde bazen gördüğüm o kibrin bir benzerinin benim yüzümde de göründüğüne emindim. Sadece parayı değil hayata olan güvenimizi de kaybetmiştik ama kibir ne kadar derine işlemişse hiçbir şey onu silemiyordu.

Zenginlerden de yoksullardan da uzak duruyorduk. Ama bizi asıl tedirgin eden eski zengin arkadaşlarımızdı. Edebiyata düşkünlüğümüzün yanında bizi yakınlaştıran herhalde kendimize ait bir yere saklanma isteğimizdi. Bu konulardan hiç konuşmuyorduk. Bazı gerçekleri sessizce kabul etmek gerektiğini çabuk öğrenmiştik, konuşmak o gerçekleri daha dayanılmaz hale getirebilirdi. Edebiyattan konuşuyorduk, felsefeden, tarihten, mitolojiden... Bunlar bir sığınak, insanlığın geçmiş hikâyeleri bugünün dertlerini tedavi etmek için iyi bir ilaçtı.

– Mitolojide de dinde de hayat büyük bir şiddetle başlıyor, demişti Sıla bir keresinde, düşünsene toprak tanrıçasını hamile bırakıp tanrılar soyunu başlatan Uranus'un hayalarını oğlu Kronos kesiyor. Babasının hayalarını kesen bir oğulla başlıyor mitoloji. Kronos'u da oğlu Zeus öldürüyor. Yunanlıların gözünde hayatın açılış sahnesine bir bak... Din de aynı şiddetle başlatıyor hayatı. Adem ile Havva cennetten fırlatılıp atılıyor ve daha ilk adımda oğullarından biri diğer oğullarını kızkardeşlerini paylaşamadıkları için öldürüyor. Sence neden insanların bütün hikâyeleri bu kadar büyük şiddetle başlıyor?

Onun sakin ve otoriter sesini dinlemeyi seviyordum.

– Korkudan herhalde, dedim. Hayat onlar için çok korkunç olmalı, vahşi hayvanlar, doğal felaketler, açlık, soğuk... Rastladıkları her şeyden daha korkunç, daha şiddetli, daha güçlü bir kurtarıcı istediler herhalde. Kendilerini korkutan her şeyi korkutacak kadar büyük bir şiddet hayal ettiler.

Düşündü, "olabilir" dedi, "akla yakın." Hiçbir fikri kendi düşünce süzgecinden geçirmeden kabul etmez, kabul ettiğinde de insan kendini ödüllendirilmiş hissederdi. Sakin ağırbaşlılığı, mesafeli duruşu, gizli kibri, ciddiyeti, ona bende olmayan bir etkileyicilik katıyordu. Etkileniyordum. Hayat Hanım'ın doğallığı onda yoktu ama onda eğitimli ve soğuk olduğu kadar da çekici bir ölçülülük bulunuyordu. Belki de hayatı aniden değiştiği ve hayatın nasıl kolay değişebileceğini gördüğü için Sıla sürekli tedirgindi. Her an ona ve ailesine bir kötülük yapabileceklerini düşünüyordu, "onlar her şeyi yaparlar," diyordu. "Onlar"ın kim olduğunu söylemiyordu, büyük bir olasılıkla kendisi de bilmiyordu.

Kasım ayı sonlarında bir gün, sinemadan çıktığımızda gök gürlüyor, gökyüzü öfkeyle patlamaya hazırlanıyordu. Sokak bomboştu, herkes bir yerlere saklanmıştı. Kaldırımın kenarında ne yapacağımızı düşünürken sağnak başladı. Damlalar taş gibi çarpıyordu. Tam o sırada bir araba durdu önümüzde, penceresi açıldı, direksiyondaki adam, "buyrun Sıla Hanım," dedi. Sıla eğilip pencereden içeri baktı, "teşekkür ederim, biz yakına gideceğiz," dedi. Adam uzanıp arka kapıyı açtı, "oraya kadar götürürüm, binin ıslanmayın," dedi.

Sıla bana "sen de gel," dedi. Arabaya binip arka koltuğa yan yana oturduk.

– Nasılsın Yakup, dedi Sıla.

Sonra bana dönüp, "Yakup babamın eski şoförüydü," diye açıkladı.

– Teşekkür ederim Sıla Hanım, Allaha şükür iyiyiz.

Otuz beş kırk yaşlarında, saçlarının tepesi açılmaya başlamış, açık tenli bir adamdı. Kahverengi kızıl damalı kalın kumaştan ceketinin sırt kısmını görüyorduk, ceketin omuzları biraz bol geldiğinden iki yandan hafifçe sarkmıştı.

– Şimdi nerede çalışıyorsun?

Yakup, bu soruyu bekliyormuş gibi arkasına sıkıca yaslandı.

– Artık bir yerde çalışmıyorum, abilerimle kendi işimizi kurduk.

Sıla'nın "ne işi" diye sormasını bekledi ama Sıla ses çıkarmayınca kendisi devam etti:

– Müteahhitlik yapıyoruz. Büyük abim biliyorsunuz ilçe başkan yardımcısı.

Soğuk bir sesle "bilmiyordum" dedi Sıla.

Yakup büyük bir memnuniyetle tekrarladı.

– İlçe başkan yardımcısı. Belediye Başkanı da abimi kıramaz, belediyenin ihalelerini alıyoruz işte.

– Sen müteahhitlikten anlıyor musun?

– Müteahhitlikten anlamak ne olacak Sılacığım...

Sıla'nın kaskatı kesildiğini hissettim. "Sıla Hanım"dan "Sılacı-ğım"a çok keskin bir geçiş olmuştu. Yakup fark etmemişti, büyük bir güvenle konuşmayı sürdürdü.

– İşçileri tutuyorsun, başlarına da bir kalfa koyuyorsun, asfaltı döküyorlar.

– Yolların niye böyle çabucak delik deşik olduğu anlaşılıyor, dedi Sıla.

Yakup duymamış gibi yapıp başıyla beni işaret etti.

– Arkadaş kim?

– Ne garip sorular soruyorsun Yakup...

Yakup, "öylesine sordum" falan gibi bir şeyler geveledi ağzında. Ama güvenini kazanması uzun sürmedi.

– Muammer Bey nasıl, halde çalışıyor diye duydum.

– İyi.

– Muammer abiye selamlarımı söyle. Bir şeye ihtiyacı olursa bana bir haber etsin. Elimiz kolumuz uzundur, yardımımız olur. Biliyorsun abim...

– İlçe başkan yardımcısı, dedi Sıla dişlerini sıkarak.

– Sen ne yapıyorsun, dedi Sıla'ya, okula devam ediyor musun yoksa ayrılmak zorunda mı kaldın?

– Geldik, dedi Sıla, burada oturuyoruz. Şurada inelim.

– Nerede oturuyorsunuz, dedi Yakup merakla, evin önünde bırakayım.

– Teşekkür ederim, gerek yok.

Araba durdu, Yakup cebinden kartını çıkarıp uzattı, adının altında "müteahhit" yazdığını gördüm.

– Muammer abiye ver Sıla, bir yardıma ihtiyacı olursa...

Sıla cevap vermedi. İnip kapıyı kapattık. Yakup eğilip bize bir kere daha baktıktan sonra gitti.

Sıla'nın yüzü bembeyaz olmuştu. Bir apartmanın duvarına dayandık.

– Neden burada oturduğunuzu söyledin, dedim.

– Duymadın mı abisi ilçe başkanının yardımcısıymış, dedi Sıla benim aptallığıma kızdığını gösteren sinirli bir sesle, bunlara güven olmaz, gidip ihbar ederler.

– Neyi ihbar edecek, dedim şaşkınlıkla, ihbar edecek bir şey yok ki...

– İhbar etmek için illa ihbar edilecek bir şey olması mı gerekiyor, dedi, ihbar ettikleri anda tutuklanırsın, sonra uğraşırsın masum olduğunu anlatmaya... Sen nerede yaşıyorsun Allah aşkına, biraz etrafına bak.

Sağnak gök gürültüleriyle sürüyordu. Duvara dayanmış duruyorduk. Binaların renkleri kaybolmuş, yağmurun altında her şey soluk bir griye dönüşmüştü, yağmurla birlikte eriyip akacak gibi görünüyorlardı.

– Korkunç tanrılar lazım bize, dedi Sıla kendi kendine konuşur gibi, çok korkunç tanrılar.

Öfkeyle içini çekti.

– Paran var mı, dedi.

– Biraz var.

– Bende de var biraz. Gidip bir içki içelim... Sizin sokaktaki meyhaneler açıktır. Yemek yemeyiz, bir iki meze söyleriz.

Saçakların altından yürüdük. Vakit erken olduğu için sokak sakindi, meyhanelerin çoğu boştu. Bir tanesine girdik, meyhanenin ön tarafında, üstünde teneke saçak olan küçük, beton bir bahçe vardı, örtüsüz tahta masalar duruyordu. Yağmur biraz hafiflemişti.

Sıla "içeri girmeyelim," dedi, "buradaki masalardan birine bir örtü sersinler burada yiyelim... Kapalı yere tahammül edemiyeceğim."

Bizi içeri davet etmek için gelen garsona "buradaki masalardan birine bir örtü serebilir misiniz lütfen, burada yiyelim," dedim. Adama fazladan iş çıkarttığımız için garson can sıkıntısıyla "üşürsünüz," dedi.

– Üşümeyiz, dedim.

– Peki, dedi garson isteksizce.

Bir örtü getirip masaya serdi, iki duble rakı, bir peynir, pilaki, bir de söğüş domates söyledim. Garson, "bu kadarcık şey için mi beni uğraştırdınız" der gibi yüzünü buruşturarak baktı.

Rakılara su koydum. Suyun rakıyı beyazlatmasını izledik. Sıla ilk yudumda bardağın nerdeyse yarısını içti. Damlaların teneke çatıya çarpmasını dinliyorduk. Hava soğuktu. Çatının kenarından sızan sular betona damlıyor, yerde küçük su birikintileri oluşuyordu.

– Sen bu sokakta mı oturuyorsun, dedi.

– Şu karşıdaki binada.

– Güzel binaymış...

Rakılarımızı sessizce içip bitirdik. Hava kararmaya başlamıştı.

– Odan nasıl?

– Fena değil.

– Kaloriferi var mı?

– Var... O eski usul, üstü kabartmalı demir kaloriferlerden.

Bir sessizlik oldu.

– Hadi gel odana bakalım, dedi, nerede yaşadığını merak ediyorum.

Merdivenlerde kimseye rastlamadan yukarı çıktık, oda sıcak ve loştu, yağmur suları pencerelerden süzülüyordu. Işığı yakmak için düğmeye uzandığımda, "yakma" dedi.

Montunu çıkardı. Sonra kazağını. Sonra gömleğini. Sonra botlarıyla blucinini... Sonra ellerini sırtına götürüp sutyenini...

İnce ve biçimli bir vücudu vardı. Düzgün bacakları adaleliydi, kollarında da kaslarının sıkılığı fark ediliyordu. Karnı dümdüz ve gergindi. Küçük memeleri dikti, uçları loşlukta simsiyah gözüküyordu.

Yatağa girdi.

Ben de hızla soyundum.

Birden hiç beklemediğim bir biçimde neredeyse vahşice saldırdı, kolları ve bacakları tahmin edilemeyecek kadar güçlüydü. Beni yatağa bastırıp üstüme çıkmaya çalışıyordu. Ne istediğini söylemiyor, sesini çıkarmıyor, beni kolları ve bacaklarıyla sarıyordu. Şaşırmıştım. Kendimi ona bıraktım. Çok sert, hiç alışkın olmadığım biçimde sevişiyordu. Canımı yakıyordu. Bir süre sonra ortak bir ritm tutturmayı başardık. O zaman acıyla karışık bilmediğim bir haz içimi yakarak bedenime yayılmaya başladı. Kamçı gibi bir vücudu vardı, diriliğini ve inceliğini hem yadırgıyordum hem de şaşırtıcı bir şekilde çekici buluyordum.

Sevişme aralarında konuşmuyordu, gözlerini kapatıp yatıyordu.

Hava kararmıştı. Yağmur devam ediyordu. Banyonun ışığını yakıp kapıyı açık bırakmıştık. Aralarda sırt üstü yatarken ışık teninin gergin parlaklığına vuruyor, loşlukta vücudu ışıldıyordu. Çok güzeldi.

Sonunda durduğumuzda vakit epey geç olmuştu. Gözlerini kapatıp yattı. Sonra gülerek gözlerini açtı, "bir yerin acımadı, değil mi," dedi. Belli ki daha önce bu sahneleri çok yaşamıştı, bir rutindi. Her seferinde erkeklere aynı soruyu soruyor herhalde diye düşündüm. Öfkelenmiştim nedense.

– Kadın olan sensin, bu soruyu ben sormalıyım.

Cevap vermedi.

Birden döndüm, bileklerinden sıkıca tutup onu yatağa bastırdım. Kurtulmaya çalışıyordu ama gücünün bana yetmesi mümkün değildi.

– Sen kadınsın, dedim. Şimdi, ben bir kadınım de.

– Fazıl... Fazıl manyak mısın? Fazıl...

– Ben bir kadınım de.

– Fazıl... Beni korkutuyorsun.

– Ben bir kadınım de.

Kıkırdayarak güldü:

Ben bir kadınım... Oldu mu? Seni kadın olduğuma ikna etmek için ayrıca bir de söylemem mi gerekiyor?

Bıraktım.

– Deli... Şu bileklerimin haline bak... Niye delirdin sen?

– Rol dağılımında bir hata oldu gibi geldi, onu düzelttim.

Yaptığımdan memnundum, gülüyordum, o da gülüyordu, "çatlak" dedi.

– Bir sigaran var mı?

– Sen sigara içiyor musun, dedim.

– Bazen... Şimdi canım çekti.

– Bende yok ama hemen bulabilirim.

– Boşver, dedi, şart değil.

Bundan sonra odada bir sigara bulundurmaya karar verdim.

Banyoya gidip döndü, o da parmaklarının ucunda yürüyordu. Yatağa girerken eğlenceye giden köylülerin resmini aldı.

– Eğlenceye giden köylüler bunlar mı?

– Evet.

Beni öptü, "onlar eğlenceye gidiyor, biz eğlenceden dönüyoruz," dedi. Sevişmeyle ilgili yaptığı tek yorum buydu ama beni sevindirmeye yetti.

– Öndeki tam bir kont gibi duruyor, dedi, ortadakinde de bir asilzade havası var. En arkadaki tam bir bitirim... En tecrübelileri o gibi... Ortadaki biraz seni andırıyor gibi sanki, senin kaşların daha kalın ama...

Resme biraz daha baktı:

– Dudakların da daha güzel.

Neşeliydi. Onun da duyguları benim gibi çabuk değişiyordu. Dalgalı bir denizde uzun süre yüzdükten sonra sahilde kendimizden memnun ve yorgun yatarken ellerimiz birbirine değiyordu. Onun parmaklarından bana akan ılıklığı hissediyordum. "Birlikte olmaya karar vermemiz epey uzun sürdü," dedim.

"Yoo," dedi, "uzun süren birlikte olmaya karar vermek değildi, zor olan bu işi bir han odasında yapıp yapmamaya karar vermekti." Onun bu kadar hesaplı olabilmesi beni incitmişti, ilk sevişmeden sonra böyle bir söz söyleyebilmesi nedense gururumu da kırmıştı. Hiçbir şey söyleyememiştim. Ancak çok sonra, hana üçüncü ya da dördüncü gelişimizde, seviştikten sonra yan yana yatarken yeniden aynı konuya dönüp ona söylediklerini hatırlatmıştım.

– Arzu, bu kadar hesaplı bir şey olabilir mi, demiştim.

Tavana bakıyordu.

– Bunun arzuyla ya da hesaplılıkla bir ilişkisi yok, dedi. Bu, kadın olmakla ilgili bir şey, sen anlayamazsın. Biz çocukluğumuzdan itibaren kirlenme korkusuyla büyütülürüz. Neyin bir kadını kirleteceğine, neyin yakışıksız olduğuna dair uzun bir liste öğretirler bize. Ben böyle konularda karar vermeden önce, bilinçaltım yapılacak olanın kirlilik listesinde bulunup bulunmadığını taramış, onu tasnif edip bir yere yerleştirmiş ve kararını vermiş olur. Benim o kararın üstesinden gelebilmem için senin tahmin edebileceğinden çok daha fazla uğraşmam gerekir. Bunun gelişmişlikle, gelişmemişlikle, kültürel farklarla da bir ilgisi olduğunu sanmıyorum, dünyanın her yanında kızların bilinçaltında bir kirlenme listesi var bence. Han odasına gelmek de o listededir.

Durdu, hafifçe güldü.

– Seni çok istemiş olmalıyım ki bu kadar hesapsız davranıp buraya gelmişim.

Hâlâ tavana bakıyordu.

– Ben her şeyi yanlış anlıyorum galiba, dedim.

Bana dönüp parmağının ucuyla burnuma dokundu.

– Bu da erkek olmakla ilgili, dedi gülerek, her şeyi doğru anlasaydınız korkudan yerinizden kımıldayamazdınız.

Handan çıktığımızda yağmur dinmişti, sokak kalabalıklaşmıştı.

– Sigara alayım mı, dedim.

– Yok istemem, teşekkür ederim... O sırada canım çekmişti.

Arabayı alıp onu eve bıraktım.

İnerken beni öptü.

– Yarın dersim var, dedi, öbür gün ara beni...

İndikten sonra kapıyı kapamadan eğilip bana baktı, "başkalarıyla da yaramazlık yapma," dedi gülerek.

Ertesi gün derse son anda yetişebildim.

Kaan Bey arada sakallarını okşayarak anlatırken, bütün sınıf dikkatle dinliyordu:

– Cioran'ın çok iddialı bir savı var, "önemli ölçüde sıradanlığı olmayan gerçek sanat yoktur," diye yazıyor. Savını güçlendirmek için de "cesur bir tarzın tuhaflığına başvuran sanat çabuk bıktırır çünkü ayrıksılığın birörnekliğinden daha katlanılmaz bir şey yoktur," diyor. Adorno da sanatı tarif ederken "hem gerçeklikten kaçıp sıyrılan hem de içine gerçekliğin nüfuz ettiği bir şey olarak sanat, ciddiyetle şenlik arasında titreşir," diyor ve sanatı sanat yapanın da bu gerilim olduğunu söylüyor. Bu iki savın ortak noktasını Cioran'ın "sıradanlık", Adorno'nun ise "gerçeklik" olarak isimlendirdiği olgu oluşturuyor. Bu iki olguyu bir arada telaffuz edersek "sıradan gerçeklik" iki düşünür tarafından sanatın vazgeçilmezi olarak önümüze konuyor.

Anlattıklarını sınıfın içine sindirmesi için susup elleri arkasında birkaç adım attıktan sonra devam etti:

– Bizi burada ilgilendiren soru şudur: Edebiyat açısından sıradan gerçek nedir? Sıradan gerçek dediğimizde şu bildiğimiz, yaşadığımız hayattan söz ediyoruz. Peki, edebi açıdan hayatın sıradan ve temel gerçeklerini isimlendirebilir miyiz?

Kürsünün yanında durup sınıfa baktı.

– İki temel ve sıradan gerçek, klişeler ve tesadüflerdir. Bir yoğun bakım ünitesinden yaşlı bir adamın cenazesi çıkarılırken, hemen karşısındaki doğumhaneden de yeni doğmuş bir bebeğin hemşirenin kucağında çıkması bir klişedir. Ve bu klişe hayatın, insanlık zincirinin temel gerçeğini belirtir. Çok sıradan bir klişe, aynı zamanda da inkâr edilemez büyük bir gerçek. Tesadüfler, ikinci büyük ve sıradan gerçektir. Hepimizin varlığı bir tesadüftür. Eğer annelerimizle babalarımız o gün değil de başka bir gün hatta belki başka bir saat sevişselerdi bugün bu sınıfta başka bir hoca ve başka öğrenciler olurdu. Doğa, doğacak olanın kimliğiyle ilgilenmez, onun için önemli olan doğumların devamıdır. Hayat tesadüflerle başlayıp tesadüflerle devam eder.

Gülümsedi.

– Klişeleri ve tesadüfleri hayat denilen pergelin iki ayağı olarak kabul edersek, pergelin bir ayağını klişelere sapladığımızda, ikinci ayak klişelerden oluşan bu merkezin etrafında tesadüflerden oluşan bir çember çizer. Bu çemberin içinde kalan bölge saf ve sıradan gerçekliktir. Bu bölgede gezinerek bütün hayatınızı geçirebilirsiniz, insanların çok büyük çoğunluğu öyle yapar... Ama bu bölgede sadece gezinerek bir sanat eseri yaratamazsınız. Peki, hem bu gerçeklikten vazgeçmeden hem de bu sıradan gerçekliğe mahkum olmadan bir sanat eserini nasıl yaratacaksınız? Bir dahaki derse bana cevaplarınızla gelin, bu konuyu hep birlikte tartışacağız.

Gerçeklikle özgünlük arasındaki ilişkiyi düşünerek çıktım dersten. Özgün olan bir gerçeklik var mıydı? Gerçek olmayan bir özgünlük edebiyata ne katardı? Gerçek ve özgün bir araya nasıl getirilebilirdi? Ben de böyle dersler vermeyi hayal ediyordum. Edebiyat anlatmaktan, edebiyat tartışmaktan daha mutlu edici ne olabilirdi? Maksim Gorki'nin, Tolstoy'un edebiyat konuşmaktan hiç hoşlanmadığını anlatması aklıma geldi, "ama o yazıyordu" diye düşündüm, üstelik de hiçbir zaman mutlu olmamıştı. Anlatmak, belki de edebiyatın en mutlu edici kısmıydı.

Kantinde bir sandviç yedikten sonra kütüphaneye gittim. Arabam olduğundan beri okulda daha fazla zaman geçiriyordum. Derslerden sonra hemen kaçmıyordum. Kütüphanede ders çalışıyor, düşünüyor, okumak istediğim kitapları okuyordum. Kütüphanenin sessizliğini, masalara konmuş yeşil camlı okuma lambalarının ışığını, ahşap ve kâğıt kokusunu seviyordum. İnsanların sükuneti, ciddiyeti, özeni, dikkatlerinin yoğunluğuyla kitaplara tapılan bir ibadethane gibiydi burası, benim içimde cemaatini burada bulan bir mürit var diye geçirdim aklımdan.

Adorno'nun *Edebiyat Yazıları*'nı alıp okudum, notlar çıkardım. Balzac ve Zweig hakkındaki görüşleri kalbimi kırdı, ilk fırsatta Sıla'yla bu konuyu konuşmaya karar verdim. Artık onunla ilgili düşüncelerime "bir sigaran var mı?" diyen çıplaklığının görüntüsü de ekleniyordu.

O gece televizyonda program vardı, Hayat Hanım'ın gelip gelmeyeceğini merak ediyordum. Bir önceki programa gelmemişti.

Hana döndüm. Odama çıkmadan önce bir çay içmek için mutfağa uğradım. Şair, bodyguard, bir de taşralı çocuklardan biri masanın başında oturmuş konuşuyorlardı. Ben içeri girince sustular. Bir odaya girdiğinizde, içerdekilerin aniden susması kadar incitici ve aşağılayıcı bir davranış az bulunur. Sırf bir odaya girdiğim için hiç hak etmediğim biçimde hakarete uğramışım gibi öfkeyle irkildim. Çıkmak için hemen geri döndüm ama Şair'in arkamdan seslendiğini duydum.

– Nereye gidiyorsun? Gel bir çay iç.

– Rahatsız etmeyeyim, dedim.

– Ne rahatsızlığı, dedi, gel, öylesine laflıyoruz.

Kendime bir çay koyup yanlarına oturdum. Etrafındakileri koruyan bir ciddiyetle, herkese takılan bir şakacılık hissediliyordu Şair'in tavırlarında.

– Edebiyat öğrencisiymişsin...

Bunu nereden öğrendiğini bilmiyordum ama hepimiz birbirimiz hakkında bilgi sahibiydik.

– Öyle, dedim. Sen de şairmişsin...

– Yok canım, dedi, ne şairliği... Biri öyle yakıştırdı, adım Şair kaldı, değilim dedim, aldıran olmadı, ben de bıraktım. Bir dergide redaktörüm.

– Edebiyat dergisi mi?

– Siyasi bir dergi.

– Siyasi mi?

Bunu beklemiyordum. "Olmaz mı" dedi gülerek.

– Olur tabii, dedim, şaşırdım sadece, şair olduğuna inanmıştım.

– Sen gene beni şair kabul et ama şiir yazmamı bekleme.

Durup ciddileşti.

– Arkadaşlarla durumu konuşuyorduk, dedi.

– Hangi durumu?

– Ülkenin durumunu. Pahalılık aldı yürüdü, işsizlik diz boyu, adalet hiç kalmadı.

Sessizce bakıyordum.

– Sen siyasetle hiç ilgilenmiyor musun, dedi.

– Hayır, dedim.

– Ama siyaset seninle ilgileniyor, dedi gülerek. Bir han odasında oturuyorsun, yoksulsun, hanı basıp insanları tutukluyorlar. Bunlar niye oluyor sence?

– Bilmem, dedim.

Ne diyeceğimi kestirememiştim.

Hepimizin yüzüne tek tek baktı.

– Bilseydin belki böyle olmazdı, dedi, hepimiz bilseydik belki böyle olmazdı.

– Ne yapabiliriz ki, dedim.

Bir sigara yaktı.

– Ne yapabileceğimizi düşünerek başlayabiliriz bir şeyler yapmaya.

Bu sefer ben güldüm.

– Düşüneyim o zaman, dedim, çözüm buysa...

– Başlangıcı bu olabilir.

– Sonra ne olacak?

– Belki boş zamanlarında derginin redaksiyonunda bana biraz yardım edebilirsin. Bana yardım eden arkadaşı tutukladılar geçen gün.

Aniden pişmanlıkla sustu, beni korkutacağından çekinmiş gibiydi.

– Redaksiyon yaptığı için de mi adam mı tutukluyorlar?

– Daha azı için bile tutukluyorlar. Korkuttum galiba seni...

Korkmuştum ama korktuğum için de utanmıştım.

– Yok korkmadım, dedim, sana yardım ederim vaktim olduğunda... Peki sen korkmuyor musun?

– Korkuyorum, korkmaz olur muyum? Ama alıştım korkmaya. Zevk bile almaya başladım.

Ciddi miydi benimle alay mı ediyordu tam anlaşılmıyordu. Biz konuşurken Bodyguard'la adının Kenan olduğunu öğrendiğim taşralı çocuğun hiç sesi çıkmamıştı ama benim bilmediğim bir nedenden Şair'in onlara güvendiğini sezmiştim.

Çayımı bitirmiştim. Kalkarken kolumu tuttu.

– İnce bıyıklı bir komi var, dedi, alt katta kalıyor, saçlarını jöleliyor, bildin mi?

– Evet.

– Ona dikkat et.

– Niye?

– Karışık, güvenilmez bir adamdır.

– Olur, dedim.

"Karışık bir adam," ne demek tam anlamamıştım ama Sıla'nın "ihbar ederler" dediğini hatırladım, "ihbar edilmek için illa ihbar edilecek bir şey yapmak mı gerekiyor?" Bütün bunlar bana gerçekdışı geliyordu, sıkıcı bir hikâye dinler gibi yaşıyordum bu olayların ortasında ve bu hikâye benim duygularımı henüz çok fazla etkilemiyordu.

Bal rengi tuvaletiyle oynuyordu Hayat Hanım o akşam ben salona girdiğimde. Öyle ahenkle dalgalanıyordu ki vücudu bütün kalabalığın içinde hemen seçiliyordu.

Ara olduğunda koridora çıktım. Kulisin yan tarafında bulunan tuvalete giderken, kulis çıkışında Hayat Hanım'la seyircilerin arasında sık sık rastladığım bir kadını gördüm. Konuşuyorlardı. Sıkıntılı bir hâlleri vardı.

Ara uzayınca bir çay alıp plastik iskemlelerden birine oturdum. Yanımda oturan kadın birden bana dönüp, "sen niye hep arkada oturuyorsun," dedi, "ön taraflarda otursana, kamera ön tarafları daha fazla gösteriyor, bak uzun boylusun da bir televizyon dizisinde falan rol bulabilirsin." İnsanlar beni şaşırtıyordu. Uzun boyla televizyon dizisi arasında bir ilişki kuramamıştım.

– Siz hiç televizyon dizisinde oynadınız mı, dedim.

– Bir kere bir düğün sahnesine çağırdılar, dedi gururla, davetlilerden birini oynadım... Hattâ başrol oyuncusuyla el sıkıştık.

Ne diyeceğimi bilemediğimden "çok güzel" dedim. Aranın bittiğini haber veren zil çalınca salona döndüm. Bir an önce programın bitmesini, Hayat Hanım'la yalnız kalmayı istiyordum. Ona bakarken bazen Sıla'nın görüntüsü de beliriyor sonra sessizce kayboluyordu.

Program bitince birlikte çıktık.

– Hadi şurada yemek yiyelim, sonra eve gideriz, dedi.

Heykelli lokantaya gittik. Sinderella, cüce, zürafa, melek, hepsi oradaydı. Bizi bekliyorlardı. Masaya oturunca yüzüne baktım. Altın kızılı saçları, alaycı gülümsemesiyle karşımdaydı, onu özlemiştim, güldükçe daha belirginleşen gözlerinin kenarındaki çizgileri seviyordum. Müz'ler gibi hep şarkı söyleyen mutlu bir hali vardı. Onun nasıl her zaman bu kadar mutlu olabildiğini kavrayamıyordum, bazen hayatın tehlikelerinden haberdar olmadığını, timsahlarla dolu bir gölde yüzen çıplak bir kız çocuğunu andırdığını düşünüyor, onun için endişeleniyordum. Daha birkaç saat önce ben de birçok gerçeği algılayamadığımı, bir tür duygusal cehalet yaşadığımı fark etmiştim ama ben bu cehaletten bir mutluluk yaratamıyordum. Belki de onun cehaleti değil mutluluğu rahatsız ediyordu beni.

İçkilerimiz gelince kadehini kaldırdı, *absit omen* dedi neşeyle.

– O da ne?

– Latince... Uğursuzluk bizden uzak olsun.

Bunu sanki büyü yapar gibi söylemişti, dayanamayıp bir kahkaha attım. Hiç akla gelmeyecek şeyler biliyordu.

– Absit omen, dedim.

Konuştuğu kadını soracaktım ama bir şey beni durdurdu, nedense soramadım, onun yerine bambaşka bir soru sordum.

– Sahnede sizin aranızda dolaşan o kısa boylu klarnetçinin adı ne?

– Hay.

– Hay diye bir isim olmaz.

Gözlerini kırıştırarak güldü.

– Asıl adı Hayrullah ama adı boyuna göre çok uzun olduğu için ben adını boyuna uygun biçimde kısalttım. Onu herkes Hay diye tanır.

Mezeler çok güzeldi, iştahla yiyor, bana "sen de ye" diyordu, "çok güzel."

– Sen nasıl her zaman neşeli ve mutlusun, dedim.

Hafifçe kaşlarını çattı.

– Nasıl?

– Hayat tehlikelerle dolu ama sen hep neşeli ve mutlusun.

– Benim mutlu olmam seni kızdırıyor mu Antonius?

Durdum, düşündüm, onun mutlu olması benim canımı mı sıkıyordu? Beni kızdırıyor muydu? Tedirginlik ya da endişe sandığım şey aslında kızgınlık mıydı? Dürüst olmak gerekiyorsa evet bazen kızdırıyordu. Hiç kimse karşısındakinin bu kadar iyimser, bu kadar mutlu, bu kadar aldırmaz olmasını istemezdi. Hepimiz, karşımızdakinin biraz endişeli olmasını, kendi endişeleriyle bizim endişelerimizi ve korkularımızı haklı çıkarmasını, endişelerimizden dolayı küçümsenecek birisi olmadığımızı kendimize söyleyebilme hakkını bize bağışlamasını isterdik. Çevremdeki nerdeyse herkeste gördüğüm endişe ve gelecek korkusu, hepimizin arasında ortaklık kuran, hepimizi birleştiren bir duyguydu. Hayat Hanım'ın bu iyimser aldırmazlığı ortaklığı bozuyor, zihnimizin alıştığı bir huzursuzluğu yok ediyor, onun yerine, içine ne koyacağımızı bilemediğimiz bir boşluk bırakıyordu. Herkes o boşluğu Hayat Hanım gibi iyimserlikle ve aldırmazlıkla dolduramazdı, Hayat Hanım'ın bunu benden beklemeye hakkı yoktu. Evet, onun bu iyimser aldırmazlığı beni, biraz utançla karışmış biçimde sinirlendiriyordu... Ama aynı zamanda kendine de çekiyordu.

– Ne oldu, dedi, niye daldın Antonius?

– Evet sinirlendiriyor biraz, dedim, çünkü sen hayatın gerçeklerini bilmiyorsun.

İlk defa onun kızdığını gördüm.

– Öyle mi, dedi.

Uzun bir sessizlik oldu. Yemek yemeyi bırakmıştı. Küçük ve aptal bir çocuğa anlatır gibi ağır ağır konuşmaya başladı:

– Ben hayatın gerçeklerini senin tahmin ettiğinden daha fazla biliyorum. Yoksulluğu, ölümü, kederi, çaresizliği biliyorum. Narin bir çiçeğin yapraklarına konan böceği yediği bir gezegende yaşadığımı biliyorum. İnsanların binlerce yıldır birbirine acı çektirdiğini, birbirinin hakkını gaspettiğini, birbirini öldürdüğünü biliyorum. Ben hayatın gerçeklerini biliyorum. Ben de herkes gibi zehirli baldan yiyorum. Zehiri sessizce yutuyor, balın tadını çıkarıyorum. İstediğin kadar şikayet et, istediğin kadar kork, bu bal zehirli, korkmak, şikayet etmek zehiri yok etmiyor. Sadece balın tadını almanı önlüyor. Ben hayatın gerçeklerini biliyorum, sadece o gerçeklere aldırmıyorum. Zehiri yakınmadan yutuyorum, o zehrin sonuçlarını da umursamıyorum. Sonunda herkesin öldüğünü biliyorum çünkü ben...

Sustu, sonra gülümsedi.

– Hadi saçma sapan konuşma, yemeğini ye de Kleopatra'yı kızdırma Antonius. Sonunda yılanı koynuna alan benim.

– Yılan ben miyim?

– Bilmem. Bu, senin ben yokken neler yaptığına bağlı.

Aniden, birisinin kalbimi ellerinin arasına alıp sıktığını hissettim, dehşete kapılmıştım, Sıla'yla ilgili bir şey mi biliyor diye korkuyla düşündüm. Bir şey mi hissetmişti?

– Ben yılan mıyım?

– Niye bu kadar telaşlandın sen Antonius?

Yüzüme dikkatle baktı, takip edemediğim, isimlendiremediğim bir ifadeler karmaşası dolaştı yüz çizgilerinde, bilemediğim birçok şeyi aynı anda düşündüğü anlaşılıyordu. Bardağını kaldırdı, gözlerimin içine baktı.

– Absit omen, dedi, uğursuzluk bizden uzak olsun.

Sanki bu sefer bu sözü daha farklı bir tonlamayla söylemiş gibi geldi bana. Sonra bu son konuşmalar hiç olmamış gibi neşeyle "lüfer yiyelim mi" dedi, "tam zamanı, şimdi çok lezzetlidir."

Eve taksiyle döndük.

Kapıdan girince o tanıdık koku... O tanıdık sıcaklık... O tanıdık kehribar renkli ışık... Her biri beni ayrı ayrı heyecanlandırıyordu.

Salonda çok fazla oyalanmadık.

İnsana her türlü mutluluğu veren ak topuklu Tanrıça Hekate...

Uykuya dalmadan önce ona sarıldım, "balın tadını alıyorum," dedim, "zehir nerede?"

– Zehir balın içinde.

Zehir balın içindeydi. Bu, klişeydi. Diğer her şey ise tesadüftü.

VIII

Sesleri duyunca odamdan çıktım. İki kişi Gülsüm'ü kollarından tutmuşlar, sürükleyerek getiriyorlardı. Yüzü kan içindeydi, elbiseleri yırtılmış, saçları dağılmıştı, koyu naylon çorabı boydan boya kaçmıştı, makyajı akmış, gözlerinin çevresine dağılmıştı. "Ben onlara kötü bir şey yapmadım" diye ağlıyordu, "ben onlara kötü bir şey yapmadım." Sürekli aynı cümleyi tekrarlıyordu.

Bizim kattaki bütün odaların kapıları açılmıştı, herkes koridora çıkmıştı.

– Ne oldu, dedi Şair.

– Sopalı adamlar dövmüş, dedi birisi.

Şair, Gülsüm'ün yanına gitti.

– Ne oldu Gülsüm?

– Ben onlara kötü bir şey yapmadım.

– Onu biliyorum, ne oldu?

– Aniden saldırdılar, diğerleri kaçtı, beni caminin orada yakaladılar. Çok kötü dövdüler abi... Çok kötü dövdüler.

Belli ki camiye giremediği için yakalanmıştı.

– Seni hastaneye götürelim mi?

– Hayır... Sakın... Beni orada da döverler.

– Hastanede neden dövsünler?

– Sen bilmiyorsun abi, bizi her yerde döverler. Her yerde döverler bizi.

Gülsüm'ü odasına sokup yatağına oturttular. Biri ıslak havlu getirdi, yüzünü sildiler, birisi de odasından kolonya getirdi, yaralarına bastırdı. Oda kalabalıktı. Ben kapıdan bakıyordum. Odanın, aşırı titiz birinin varlığını haber veren sabun kokusu, odayı dolduranlardan yükselen kekremsi bekar erkek kokusunun arasından süzülerek bana kadar geliyordu. Küçük oda insanlarla dolu olduğu için içerisini ayrıntılarıyla göremiyordum, yalnızca yatağın ayakucuna serilmiş mor renkli küçük peluş halıyı, bir de tuvalet masasının altına dizilmiş yüksek topuklu sarı, yeşil, pembe, fuşya, kırmızı 44 numara parlak rugan ayakkabıları farketmiştim. Fırtınalarla kararmış bir gökyüzünden fırlayıp gelmiş korkunç kuşları andıran ayakkabılar öylesine rastlanmadık bir görüntüydü ki bugün bile Gülsüm dendiğinde hâlâ aklıma her şeyden önce o ayakkabılar geliyor. Gülsüm bir sinir krizi geçirecek gibi hıçkırıklarla "ben onlara kötü bir şey yapmadım" diye ağlıyordu. "Ben onlara kötü bir şey yapmadım."

O sırada, gecenin o vaktinde nereden geliyorsa sırtında sattığı sahte çantalarla Mogambo girdi içeri, Afrikalılara has aksanıyla "ne olmuş" dedi.

– Gülsüm'ü sopalı adamlar dövmüş.

Mogambo iri gövdesiyle herkesi yarıp Gülsüm'ün yanına gelip yüzüne baktı. Gülsüm bluzunun yakalarını çekiştirerek "ben onlara kötü bir şey yapmadım" diyordu, hep aynı sözleri tekrarladığının farkında değildi. Mogambo sırtındaki çantaları yere bırakıp odadakilere baktı, "siz gidin," dedi "ben konuşurum Gülsüm'le..."

Herkes sessizce odadan çıktı. Mogambo'nun Gülsüm'ün yanına oturduğunu gördüm. Kapıyı kapattık. Odama gittim. Gülsüm'ün hıçkırıklarını duyuyordum. Biraz sonra sustu... Sessizlik oldu. Odadan nerdeyse koşarak çıktım, aşağıya indim.

Mutfakta Emir'le Şair ayakta konuşuyorlardı. Tevhide de masanın üstüne oturmuştu. Beni görünce "Gülsüm'ü kim dövmüş" dedi.

– Bilmiyorum, dedim.

– Niye dövmüşler?

– Onu da bilmiyorum.

– Bizi de dövecekler mi?

Emir hemen atıldı.

– Hayır Tevhideciğim, bizi kimse dövmeyecek.

Şair, "hadi gidip bir kadeh bir şey içelim," dedi, "bir iki lokma bir şey de yeriz. Tevhide'ye de kimsenin bizi dövemeyeceğini anlatırız." Meyhaneler boşalmaya başlamıştı. Bir tanesine girip oturduk. Şair, gelen yaşlı garsona, "bize üç rakı," dedi, "bir de gazoz Tevhide Hanım'a. Yiyecek neler var?" Garson yemekleri sayarken Tevhide onun "pirzola" dediğini duydu. Heyecanla babasına döndü.

– Pirzola mı varmış?

Emir'in yutkunduğunu, gözünün altındaki ince damarın belirginleştiğini gördüm.

– Pirzola kaç para, diye sordu garsona.

– Altmış dört lira.

Bir sessizlik oldu. Şair gülümseyerek garsona baktı, "bir porsiyonda kaç pirzola var?"

– Üç tane.

– Peki sen bize bir pirzola getirsen de biz üçte bir fiyat ödesek olur mu?

Tevhide konuşmayı dikkatle dinliyordu.

– Olur herhalde, dedi garson.

– İyi o zaman, sen bize bir pirzola getir. Bir de beyaz peynirle söğüş domates.

Garson gidince Tevhide babasına baktı.

– Pirzola getirecek mi?

– Getirecek.

Tevhide gülümsedi, "iyi" dedi. Garson rakılarla gazozu getirdi, bir tabak peynirle domatesi masaya bıraktı. Biraz sonra da içinde üç pirzola olan tabağı getirip Tevhide'nin önüne koydu. Emir telaşla "biz bir tane rica etmiştik," dedi.

– Diğer ikisi de bizden, dedi garson, siz üçte bir parası ödersiniz.

Emir'in cevap vermesine fırsat bırakmadan Şair, "sağol" dedi. Garson gidince Emir'e dönüp alaycı bir gülümsemeyle "yoksul dayanışması," dedi, "zengin beyler bilmez bunu."

Tevhide minik elleriyle çatal bıçağı tutmuş büyük bir ciddiyetle pirzolasını kesmeye başlamıştı. Emir hafifçe kaşlarını çattı.

– Onlara ikram etmedin, dedi. İsteyip istemediklerini sormadın.

Tevhide bize döndü.

– İstiyor musunuz?

– Sen ye, dedi Şair, biz istemiyoruz.

Tevhide babasına bakıp "istemiyorlarmış," dedi.

– Onlar kibarlık yapıyorlar, hemen kabullenmen gerekmiyor.

– Ne yapıyorsun Emir, dedim, o daha beş yaşında.

– Şimdi öğrenmeyecekse ne zaman öğrenecek?

"Merak etme o her şeyi öğrenir" dedi Şair, sonra da Tevhide'nin başını okşayıp, "ye hadi," dedi, "tadını çıkar." Kadehini kaldırdı, "yoksulların şerefine." Herhalde bizden birkaç yaş büyüktü ama yaşından çok daha olgun bir hali vardı, handaki herkesin telaşa kapıldığı zamanlarda bile soğukkanlılığını kaybetmiyor, sükûnetiyle çevresindekilere güven veriyordu. Tanıştıktan iki dakika sonra en hayatî sorununuzu anlatıp, yardım isteyebileceğini bir insan duygusu yaratıyordu, handakilerin ona gösterdiği o sevgi dolu saygıdan herkese bir şekilde yardım etmiş olduğunu da anlıyordum. Bende, sanki onun zihninin girinti çıkıntılarıyla hayatın girinti çıkıntıları birbirine tam oturuyormuş gibi bir izlenim uyandırıyordu. Benim gibi değildi, hayatın gerçek bir parçasıydı, hayatla iç içeydi, her sorunun bir çözümü olduğunu biliyordu. Ona imreniyordum.

Orada bir saatten fazla kaldık, yemek boyunca Şair bizimle "yoksul beyzadeler" diye dalga geçti, "sınıfsal bilinçaltımızdan" söz etti, eğlenceli hikâyeler anlattı, şakalar yapıp Tevhide'yi güldürdü. Hesabı ortaklaşa ödedik, çok az içmemize rağmen hepimiz sarhoş olmuş gibiydik. Emir, uyuklamaya başlayan Tevhide'yi kucağına almıştı. Ayrılırken Şair alaycı gülümsemesiyle "iyi geceler yoldaş beyzadeler," dedi, "yoksullar selamlıyor sizi."

Han sessizdi. Karanlıktı. Odama çıkıp yattım. Erken kalktım. Nermin Hanım'ın dersini kaçırmak istemiyordum. Sınıfa girdiğimde ders başlamıştı, Nermin Hanım anfide yürüyerek anlatıyordu:

– Eleştiri, edebiyatın en önemli dallarından biridir, eleştirinin edebiyata dahil olduğunu, bir eleştirinin de eleştirdiği eser kadar ya da o esere layık olacak kadar edebi değere sahip olması gerektiğini hiçbir zaman unutmamalısınız.

Susup sınıfa baktı.

– Aranızdan yazar çıkar mı bilmiyorum ama bir iki eleştirmen çıkacaktır. Eleştirmenliğin yazarlıktan daha kolay olduğunu düşünen budalalar varsa aranızda, ona bu işe hiç bulaşmamasını şimdiden söyleyebilirim. İyi eleştirmen iyi yazardan daha zor bulunur. İyi eleştirmen çok nadir rastlanan bir canlı türüdür, eleştiri yazarken Boila gibi, Saint-Beuve gibi, Belinski gibi asırlar sonra da okunabilecek yazılar yazmayı hedeflemelisiniz... Belinski gibi Dostoyevski'nin ilk kitabı *İnsancıklar*'ı okuduğunda, bu kitabın *Karamazov Kardeşler*'i haber veren bir deha ürünü olduğunu anlayacak dahice bir sezgiye sahip olmanız gerekir.

Birden güldü.

– Gerçi o kitapta büyük bir dehanın işaretini görebilmek için sadece sezgi yetmez bayağı bir kehanet gücü gerekir ki bunu da herkesten bekleyemeyiz.

Yeniden ciddileşti.

– Şunu da unutmamalısınız, eleştirmenlik züppelik değildir. Hiç kimsenin anlamadığı kitabı bir ben anladım yarışması da değildir. Okuyucuyu küçümseme mesleği de değildir. Yirminci Yüzyıl'da eleştirmenler hiç kimsenin okumaktan tat almadığı kitapları yücelterek edebiyatı bir anlaşılmazlığa, tatsızlığa, sıkıcılığa sevk ettiler... Borges, hiçbir zaman bitiremediği *Finnegans Wake* hakkında ders verdi... Bitiremediğiniz kitaplar hakkında ders vermeyin, bitiremediğiniz kitaplar hakkında eleştiri yazmayın. İyi bir kitabın birçok bilinen veya bilinmeyen özelliği vardır ama ilk özelliği sonuna kadar okunabilmesidir.

Finnegans Wake'i sonuna kadar okuyamıyorsanız o sizin için kötü bir kitaptır... Okuyabilen bir başkası için iyi bir kitap olabilir. Züppelik dediğim, insanın okuyamadığı bir kitabı övmesi, onun okunamaz olmasından kendine bir değer aktarmaya uğraşmasıdır.

Nermin Hanım'ın sesi, anlattıkları bana iyi gelmişti. Diğer hocaların derslerinde genellikle sıkılırdım ama Kaan Bey'le Nermin Hanım'ın her dersinden sonra aynı duyguya kapılıyordum: Benim ait olduğum yer burasıydı, bu okuldu, bu dersler, bu konuşmalar, bu tartışmalardı. Hayatın gerçeklerini, çirkinliklerini, acılarını gören, bilen, anlayan ve bütün bunların hepsine mucizevi bir ışık ve değer katarak anlatan bu korunaklı dünyaydı. Nermin Hanım'ın anlattığı gibi bir eleştirmen olabilirim belki diye düşündüm, dışarda öyle değildim ama burada cesur ve dürüsttüm. Burada beni hiçbir şey korkutmuyordu.

Dersten sonra Sıla'yla buluştuk.

– Sahilde bira içip midye tava yiyelim mi, dedi. Sonra sinemaya gideriz.

Yoksulluğa alıştıkça cömertleşiyordu.

Benimle sevişmek onu çok fazla heyecanlandırmadığı için mi yoksa bir han odasına gitmek onu huzursuz ettiği için mi bilmiyorum ama her buluştuğumuzda bana gitmiyorduk. Ne zaman gideceğimize Sıla karar veriyordu. Belli bir düzeni yoktu. Bazen iki gün üstüste gidiyorduk bazen günlerce gitmiyorduk.

Sahilde salaş bir yer bulmuştuk, çok güzel midye tava yapıyordu. Oraya gittik. Bira içerken ona Gülsüm'ü dövdüklerini, "ben onlara kötü bir şey yapmadım" diye ağladığını, Mogambo'nun herkesi odadan çıkarıp onunla kaldığını anlattım.

– Ben Mogambo'nun yaptığını yapamazdım, dedim.

– Hepimizin yapamayacağı şeyler var, dedi. Önemli olan onların neler olduğunu bilmek.

Dışardayken hiç elele tutuşmuyor, öpüşmüyor, duygularla ilgili konuşmalar yapmıyorduk. İlişkimizin ne olduğunu bilmiyordum. Ama buna bir isim bulmaya da çok aldırmıyordum. Hatta böylesi biraz da işime geliyor, suçluluk duygumu azaltıyordu.

– Geçen gün okul çıkışı yine Yakup'a rastladım, dedi.

– Ciddi misin?

– Oradan geçiyormuş, öyle dedi. Önceki gün indiğimiz yere kadar gitmek zorunda kaldım orada oturduğuma inansın diye, sonra bir otobüsle eve döndüm. Onun yüzünden bir sürü zaman kaybettim.

– Ne anlatıyor, dedim.

– Müteahhitlik maceralarını, nasıl çok para kazandığını... Geçenlerde birkaç gün sağanak yağmıştı ya, yaptıkları bütün yollar çökmüş... "Ama her şeyde bir hayır var" dedi bana gülerek, belediye başkanı yolun tamir edilmesi için yapılan ihaleyi de onlara vermiş. Bunu hiç utanmadan övünerek anlatıyor... Biliyor musun eskiden böyle arsız bir adam değildi, dürüst, güvenilir bir adamdı... Nasıl bu kadar değişti anlamadım... İnsanlar hep böyleydi de biz mi fark etmiyorduk yoksa?

Ben cevap vermeden "Ömer Seyfettin'in *Yüksek Ökçeler* hikâyesini hatırlıyor musun," dedi. "Evet" dedim ne söyleyeceğini merak ederek. Ben cevap vermemişim gibi anlatmaya başladı:

– Çok zengin, kısa boylu bir kadın vardır. Köşkünde hep yüksek ökçeli terliklerle dolaşır, topuklarının sesi her yerden duyulur. Evinin düzeni mükemmeldir, dürüst, güvenilir insanlar çalışır. Sonra bir gün bileğini sakatlar, düz, sessiz terlikler giymek zorunda kalır. Aşçıyı hırsızlık yaparken, bahçıvanla hizmetçi kızı kırıştırırken yakalar. Evin bütün düzeni bozulur. Sonra yeniden yüksek ökçeli terliklerini giyer, her şey düzene girer.

Gülümsedi.

– Biz yüksek ökçeli terliklerimizi çıkardığımız için mi insanları görmeye başladık, dedi. Eskiden de her şey böyle miydi?

Biraz durup ekledi:

– Yeniden yüksek ökçeli terliklerimizi giyebilsek her şey yeniden düzelecek mi?

– Ama, dedim, topukluları çıkarınca birçok iyi insan da gördük, daha önce görmediğimiz iyi insanlar.

Düşündü, "haklısın," dedi, "ama ben yine de yüksek ökçeli terliklerimi giymeyi tercih ederim."

Yemekten sonra sinemaya gittik, karanlıkta yan yana oturuyorduk, kollarımız birbirine değiyordu, onun sıcaklığını seviyordum.

Sinemadan çıkınca kâğıt bardakta birer kahve aldık, "saat kaç" dedi, biraz ilerdeki duvar saatine bakıp söyledim, "geç olmuş" dedi, "yoksa sana giderdik."

– İyi olurdu, dedim.

– Ne yapıyor senin köylüler?

– Eğlenceye gidiyorlar...

Kolumu sıktı hafifçe.

– Bir dahaki sefere biz de gidelim.

Bu yakınlık duygusu gerçekten de duyguların en tatlısıydı, iki insan arasındaki bu mahremiyet, bu başka hiç kimseye söylenemeyecek, başka hiç kimsenin yanında tekrar edilemeyecek sözlerin söylenmesi, başka birinin görmesine izin verilmeyen bir çıplaklığın sergilenmesi beni her zaman heyecanlandırıyordu. Bu duyguyu yaratmayı kadınlar çok iyi biliyorlardı.

Onu evine bırakıp hana döndüm, mutfağa baktım, o sırada Şair mutfaktan çıkıyordu.

– Sana bir iki yazı getireceğim, dedi, redaksiyon için... Vazgeçmedin, değil mi?

– Getir, dedim, vazgeçmedim.

Odaya çıktım. Köylülerim oradaydı. Her zaman orada olacaklarına güvenebileceğim insanlardı onlar. Akşama program çekimi vardı, Hayat Hanım'ın gelip gelmeyeceğini merak ediyordum.

O akşam Hayat Hanım gelmedi.

Salonda garip bir hava vardı, seyirciler her zamanki gibi alkışlayıp oynuyorlardı ama herkeste bir tutukluluk, bir sıkıntı hissediliyordu. Ara olduğunda koridora çıktım, orası da çok sessizdi. İnsanlar susuyorlardı. Uzun boylu olduğum için artist olabileceğimi düşünen kadına "ne oluyor" dedim, "herkes çok sıkıntılı." İçini çekip "Kalender'in kızı öldü," dedi.

– Kalender kim?

– Rastlamışsındır, sessiz, sakin, gençten bir kadın, genellikle sağ tarafta oturur.

Kim olduğunu anlamıştım. Birkaç gün önce kulisin kapısında Hayat Hanım'la konuşurken gördüğüm kadındı.

– Niye ölmüş?

– Kızamıktan...

– Bu çağda kızamıktan ölünür mü?

– Yanlış ilaç vermişler, dedi kadın, zavallı çocukcağız. Yarın cenazesi var, biz de gideceğiz.

– Ben de gelebilir miyim?

– Gel tabii. Düğünle cenazenin kalabalığı makbuldür. Cenaze öğlen namazından sonra.

Kadından caminin adresini aldım.

İnsan bazen kendi ruhunun kırıklarını, çöküntülerini, bataklıklarını, bir olayın zihninde açtığı kapıdan baktığında bütün açıklığı ve ürkütücülüğüyle görebiliyor. Zavallı çocuğun cenazesine ben Hayat Hanım'ı orada görebilmek için gidecektim. Hayat Hanım'ın gelmeyeceğinden emin olsam gitmezdim. Bir çocuğun cenazesini başka bir amaca alet etmek rezilce bir işti. Üstelik durum o kadar açıktı ki kendimi kandırmak için sığınabileceğim belirsiz bir alan, arkasına saklanabileceğim bir mazeret yoktu. Kendimi yakalamıştım ve kendimden utanmıştım.

O gece, ertesi gün cenazeye gitmemeyi de düşündüm ama o zaman da acılı bir kadının acısını paylaşanlar arasına katılmaktan dürüstlük adına vazgeçecektim, bu da çok bencilce olacaktı. Kendi kendimi öyle tuhaf açmazların içine düşürüyordum ki hiçbir şekilde oradan dürüst ve iyi bir insan olarak çıkmam mümkün olmuyordu.

Cenazeye gittim.

Kentin kenar mahallelerinden birindeki bir mezarlığın yanında bulunan bir camide yapılıyordu tören. Cami, minik ama zarif bir şadırvanı olan, ince minareli, sonsuzluğu sadelikle birleştirebilmiş yüzük taşı gibi derli toplu bir yapıydı. Belli ki zevk sahibi bir hayırsever, yoksullar bu dünyayla hayatta belki de rastlama fırsatı bulamadıkları bir zarafetle vedalaşabilsinler diye yaptırmıştı. Hayat Hanım oradaydı. Siyah bir pantolon, siyah bir ceket giymiş, diğer kadınlar gibi başını eşarpla örtmüştü. Kalender'in yanında duruyordu. Bir koluyla kadına sarılmıştı. Kalender bitkin görünüyordu. Bir iki kez durduğu yerde sendeledi, Hayat Hanım onu tuttu.

Namazdan sonra erkekler tabutu taşımaya gittiler. Ben de tabutun bir kenarından tuttum. Çok hafifti. Tabutun hafifliği insanın canını acıtıyordu.

Mezarın başında Kalender birden fenalaştı, "beni de kızımla birlikte gömün" diye bağırıyordu, "kızım nereye gidiyorsun? Yavrum nereye gidiyorsun?" Tolstoy'un yedi yaşındaki oğlu öldüğünde kırlarda "ölüm yok, ölüm yok" diye bağırarak koştuğu aklıma geldi. Mezarı örttüler. Akrabaları Kalender'i götürdü. Küçük kalabalık mezarların arasından duman gibi dağılıp yok oldu.

Selvilerin koyu yeşil gölgeleri altındaki mezar taşlarının üstünde isimler yazılıydı, bazılarında mezardaki ölünün eski bir resmi de görülüyordu. Niye bütün ölüleri toplayıp bir arada gömmüyorlar acaba, diye düşündüm. Niye ölümü hayattan böyle keskin bir şekilde ayırıyorlar? Buradaki ölülerin hepsi bir zamanlar canlıydı. Bu, insanı güldürecek kadar eskimiş bir klişeydi. Aynı mezarlıkta toplanıp yan yana yatmaları ise tesadüftü. Bu mezarlıkta toplanıp yan yana yatacaklarını bilmiyorlardı. Yaşarken sevdikleriyle geçirdikleri zamandan çok daha uzun bir zamanı hiç tanımadıkları binlerce insanla birlikte geçireceklerdi. Aynı ağaçlara, aynı böceklere, aynı çiçeklere ölümleriyle can vereceklerdi. Bir an hayalimde bütün ölülerin mezarlarından çıktıklarını gördüm, binlerce ölü, birbirlerine şaşkınlıkla bakacaklar, büyük bir ihtimalle çıplaklıklarını gizlemeye çalışacaklardı, çıplaklık ölümden daha çok telaşlandıracaktı onları. Ölü olmanın tadını çıkaramayacaklardı. Ölüm, söz edilmeye bile değmeyecek bir klişe haline nasıl gelmişti acaba, herkes ölümü bildiğine inanmıştı herhalde. Hiç bilmedikleri bir şeyi bildiklerine inanmalarında bir tuhaflık görmemişlerdi.

Hayat Hanım'la mezarların arasından birlikte yürümeye başladık. Eşarbını çıkarmamıştı.

– Çok büyük bir yazar, çocuğu öldüğünde kırlarda ölüm yok, ölüm yok diye bağırarak koşmaya başlamış, dedim.

– Ölüm var, dedi.

Mezarların çoğu bakımlıydı, üzerlerinde çiçekler duruyordu. Hayat Hanım üstündeki otların kurumuş olduğu bir mezara doğru yürüdü. Mezar bir kadına aitti. Mezarın otlarını temizledi. Çantasından çıkardığı ıslak mendille mezar taşının tozlarını sildi. Mezarlara ellerindeki plastik testilerden su döken çocuklardan birini çağırdı, biraz para verip, mezarın toprağına su döktürdü. Çevredeki mezarların üstündeki çiçeklerden bir kısmını alıp bakımsız mezarın üstüne yerleştirdi. Bir adım geri çekilip mezara baktı. Annesinin mezarı olduğunu düşündüm.

– Annen mi, dedim.

– Yoo... Tanıdığım biri değil.

– Ama...

– Diğerlerinin arasında çok öksüz kalmıştı, dedi, belli ki geleni gideni yok, kıyamadım.

Birden kendimi tutamadım, alaycı bir sesle:

– Görüyor mu, dedim.

Durgun bir sesle "iyi bir şey yapman için gören birinin mi olması gerekiyor," dedi.

Ne söyleyeceğimi bilemedim bir an.

– Başkalarının çiçeklerini çaldın, dedim.

Dümdüz bir sesle cevap verdi:

– Dürüstlük sıkıcıdır bazen, her zaman adaletli de değildir. İnsan ne zaman dürüst olacağına iyi karar vermeli.

Mezarlıktan çıkınca eşarbını çantasına koydu.

– Şimdi iyi bir içmek lazım, dedi, sarhoş olmaya hazır mısın Antonius... Sıkı içeceğiz bu sefer, ölümün şanına yakışır biçimde içeceğiz.

Mezarlığın yakınlarında bir lokanta bulduk. Garsonun içkileri getirmesini beklerken "Tanrı'ya inanıyor musun" dedim, mezarlıkta dua ettiğini görmüştüm.

– Bazen, dedi. Ama bugün değil... Tanrı da bazen olanlardan bir şey anlamıyor bence.

İçkiler gelince bardağını eline alıp bir süre elinde tuttu, kendi kendine söylenir gibi:

– Bazen dükkânı çırağına bırakıp gezmeye mi gidiyor, nedir, bilmiyorum ki, dedi.

Gerçekten "sıkı" içtik. Eve geldiğimizde sarhoştuk. Doğruca yatak odasına yürüdük. Soyunurken "ölümden hayatın intikamını alacağız," dedi "ama bunun için çok çalışman lazım."

Ölümden hayatın intikamını aldık.

Uykuya dalmadan önce Hayat Hanım'ın ilk kez ağladığını gördüm.

– Çocuklar Antonius, diye mırıldanıyordu, çocuklar...

Ertesi sabah yorgun uyandık, kahvaltıda söz ölüme geldi.

– Spinoza diyor ki her varlık, varlığını kendi biçimi içinde sürdürmek ister...

Portakal dilimini iştahla emerken "söyle o arkadaşına" dedi, "o varlığı yaratanın umurunda bile değil varlığın ne istediği."

– Arkadaşım değil, çok ünlü bir filozof.

– Ha ölmüş...

Bazen öyle anlaşılmaz tepkiler veriyordu ki ne söylediğini kavramam uzun sürüyordu.

– Ölmüş mü, anlamadım...

– Bunların ölenlerine filozof demiyor musunuz? Canlılarına da filozof deniyor mu?

Filozoflardan su samurlarından söz eder gibi söz ediyordu.

– Canlılarına genellikle felsefeci diyoruz.

– Ölünce rütbeleri mi yükseliyor?

"Bilmiyorum," dedim gülerek.

– Spinoza çok müthiş bir adamdır, olağanüstü bir filozoftur.

– Tam olarak ne iş yapıyor bu senin filozoflar?

– Hayatın sırrını açıklayacak bir sistem oluşturmaya uğraşıyorlar.

– Bulabilmişler mi hayatın sırrını?

– Hepsi bir açıklama getirmeye çalışıyor.

– Yani bulamadılar...

Boynumu büktüm.

– Bulamadılar.

– Ben de bulamadım. Ben de ölünce filozof mu olacağım, dedi gülerek.

– Sanmıyorum, dedim.

– Peki, "hayatın bir sırrı yok akılsızlar" diye tek satırlık bir kitap yazsam filozof olur muyum?

– Onu da sanmıyorum.

– Ben kadınım diye mi bana haksızlık ediyorsunuz?

Böyle konulardan konuştuğumuzda hep yaptığı gibi benimle dalga geçiyor, kıkır kıkır gülerek eğleniyordu.

– Boşuna okuyorsun o kitapları Antonius, dedi, kimse hayat hakkında benim bildiğimden fazlasını bilmiyor.

– Cehaletimizi abartmayalım, dedim ben de gülerek.

– Peki o kadar kitap okudun söyle bakalım hayat nedir? Sırrı nedir? Amacı nedir?

Ben cevap vermeden o devam etti.

– Tamam, bunlar zor sorular, vazgeçtim. Basit bir tane sorayım, niye hamam böcekleri bir yöne giderken aniden başka yöne dönüyor?

– Bilmiyorum.

– Kimse bilmiyor zaten.

O kadar güzel gülüyordu ki hayatım boyunca onunla felsefe konuşabileceğimi düşünüyordum bazen.

– Geçen gün kuantumla ilgili bir belgesel seyrettim, dedi.

– Kuantum mu, dedim şaşkınlıkla.

– Şu atom altı dedikleri küçücük parçacıklarla ilgilenen...

– Kuantumun ne olduğunu biliyorum. Kuantum fiziğiyle ilgili belgesel mi var?

– Tabii... Her konuyla ilgili belgesel var.

Birden ciddileşti.

– Ama çok acayip bir deney yapmışlar...

Ona öyle bakıyordum.

– İki delik deneyi dedikleri bir şey. Bu atomların içindeki elektronlar var ya, bir dedektör gözetlediği zaman elektronlar kum parçacıkları gibi davranıyorlarmış, dedektör kapatıldığında aniden değişip ışık dalgaları gibi davranmaya başlıyorlarmış. Sen bakarsan kum, bakmazsan ışık... Gördün mü sahtekar elektronları?

Böyle bir şey duymamıştım, "gerçekten mi," dedim. Küçük bir çocuk gibi "yemin ederim" dedi, "daha yeni seyrettim."

– O küçücük parçacıkların hiçbir kuralı, sistemi yokmuş. Küçükleri böyleyse sen bir de büyüklerini düşün.

Birden "pazara gidelim mi," dedi, "evde her şey bitti, hem de eğleniriz. Ben pazar yerini çok severim."

Konuşmaya "ölüm"den başlamış, kuantuma gelmiş oradan da aniden pazar yerine dönmüştük.

– Ama sen de elektronlar gibisin, dedim, nereden nereye gittiğin hiç belli olmuyor.

– Sen istersen evde otur, ben gider gelirim.

Ondan ayrılmak istemiyordum o anda. Hayatımda hiç pazara gitmemiştim, çok kalabalıktı. Yan yana dizilmiş tahta tezgâhların üstüne her renkten meyvelerle sebzeler iştah açıcı öbekler halinde konmuştu, sürekli bağırarak mallarını öven satıcılar bir yandan da ellerindeki teneke kutulardan su serpiyorlardı sebzelerin üstüne, serin ve taze bir koku yükseliyordu. Tezgâhların üstündeki, tahta kazıklara bağlanmış branda örtüler rüzgârda çatırdıyordu. Bir tezgâhtan bir tezgâha dolaşarak en ucuz ve en taze malı arayan müşteriler satıcılarla uzun uzun pazarlık ediyorlardı. Kalabalığın kuvvetli bir içki gibi sarhoş edici bir etkisi vardı. Renklerden, kokulardan, seslerden, insanlardan başım dönmüştü. Sürekli birilerine çarpıp özür diliyordum. Hayat Hanım hiç kimseye çarpmadan yürüyor, pazarcıların ikram ettiği meyveleri yiyor, oyun oynar gibi pazarlık ediyor, pazarcıları "yapma abla, o fiyata olur mu" diye yalvartıyor sonra sattıklarını onların ilk söylediği fiyattan alıp torbaları bana veriyordu. Ne torba taşımayı biliyordum, ne pazarda yürümeyi... Elmaları düşürüyor, onları toplarken patatesleri etrafa saçıyor, hepsini toplayım derken pazarcıların tezgahlarına çarpıyordum. Hayat Hanım hiç telaş etmeden gülerek beni seyrediyordu.

– Acımıyor musun bana, dedim.

– Yoo, dedi, hayatın sırrını öğreniyorsun işte Antonius.

Hayatımda hiç kimse bu kadar şefkatli bir gülümsemeyle benle alay etmemişti. Sevginin hiç akla gelmeyen seslerle, gülümsemelerle biriktiğini öğreniyordum. Neden bilmiyorum ama sevgiyi daha ağır, daha derin, hatta biraz kederli bir duygu gibi hayal etmiş olduğumu fark ediyordum, halbuki o anda hissettiğim sevgi çok güçlü ama aynı zamanda çok neşeli, her an yeryüzünden kopup havalanacakmışım izlenimi yaratan bir duyguydu. Hayat Hanım'ın her gülüşüyle, her alaycı sözüyle, neredeyse bütün insanlığı küçümseyişiyle ben biraz daha ona bağlanıp, biraz daha hafifliyordum. Bu neşeli hafifliğin, nasıl derin bir bağımlılığa yol açtığını, nasıl hiçbir engelle karşılaşmadan insanın ruhuna yerleştiğini, eksikliğinin nasıl kederli bir ağırlık yarattığını çok sonra, sokaklarda bir kör gibi dolaşırken anlayacaktım.

Eve dönünce, "ben bir duş alacağım," dedi.

– Ben de alayım, dedim.

– Benle birlikte mi?

– Olmaz mı?

– Gel...

Duştan sonra ona mutfakta yardım ettim. Yeni evli genç bir çifte benzediğimizi düşündüm, pazara gidiyor, birlikte duş alıyor, birlikte yemek hazırlıyorduk. Bu düşünce bir hayale döndü, onunla evli olduğumu hayal ettim. Bu hayali çok çekici bulmuştum. Eğer isteseydi onunla hemen evlenebilirdim.

Yemek hazırlamayı bilmiyordum, neyin nasıl yapılacağına dair en küçük bir fikrim yoktu, acemiliğim onu eğlendiriyordu.

– O kadar kitap okumuşsun ama ne hayatın sırrını biliyorsun, ne yemek yapmayı biliyorsun. En önemli iki şeyi öğrenememişsin.

Yemekten sonra çiçeklerle ilgili bir belgesel seyrettik. Anlatıcı çiçeklerin böcekleri nasıl çektiğini anlatıyordu: Koku, görüntü ve bal özü.

Hayat Hanım, "bu sana neyi hatırlatıyor," dedi.

– Bilmem, neyi...

– Ay Antonius ne aptalsın, kadını anlatıyor ayol, koku, görüntü, bal özü...

Arı orkideleri denilen orkide türü ise Hayat Hanım'ın deyimiyle "en orospu" olanlardı. Çiçek, dişi arı taklidi yapıyor, çevreye dişi arı kokusu yayıyordu. Erkek arılar bu kokuya geliyorlar, orkidenin polenleri bacaklarına yapışıyordu. O polenlerin kokusu da dişi arıları çekiyordu. Doğa sürekli bir çiftleşme halindeydi, bitmeyen muhteşem bir sevişme... Doğanın tek amacı buymuş gibi görünüyordu, bir "arabulucu" gibi davranıyor, hiç durmadan dişilerle erkekleri buluşturuyordu. Bunu anlamıştım ama bunun amacını anlamıyordum, evrenin bir köşesinde muazzam bir randevu evi açmanın nasıl bir amacı vardı?

Ertesi gün erken çıktım, okula gidecektim. Epey yorgun ve çok mutluydum. Üstümü değiştirmek için hana gittim, bir çay içeyim diye mutfağa girince, o güne dek hiç hissetmediğim bir dehşet duygusuyla titredim, beynimin kafamın içinde sallandığını hissettim.

Uzun masanın başında Sıla oturuyordu.

Yüzü bembeyazdı. Gözleri kızarmıştı. Yorgunluk ve keder demir bir maske gibi oturmuştu çizgilerine. İlk düşündüğüm, geceyi Hayat Hanım'la geçirdiğimi öğrendiği için benden hesap sormaya geldiğiydi.

– Ne oldu, dedim.

– Babamı götürdüler.

– Kim götürdü?

– Polisler.

– Ne zaman?

– Sabaha karşı.

– Nereye götürdüler?

– Bilmiyorum... Annem tanıdık bir avukat aradı, adam bakarım demiş ama bakacağından emin değilim, avukatları da tutukluyorlarmış. Onlar da korkuyor. Ben ne yapacağımı bilemedim, sana geldim, odanda bulamayınca burada oturup seni bekledim.

Uykulu gözlerle Şair girdi içeri.

– Polisler aldıkları adamları nereye götürüyorlar, dedim ona.

– Emniyet Müdürlüğüne götürürler... Kimi aldılar?

Cevap verip vermemekte kararsız kalıp Sıla'ya baktım, "babamı" dedi.

– Emniyet Müdürlüğü'ne gidin, dedi, herhalde görüştürmezler ama belki bir bilgi verirler.

– Emniyet Müdürlüğü nerede?

Tarif etti. Hemen çıktık. Sabah duş almıştım ama gene de üstümde Hayat Hanım'ın kokusu olabileceğinden endişeliydim. O anda bunun utanılacak bir endişe olduğunu fark ediyordum ama gene de o endişeden kurtulamıyordum.

Arabaya binince Sıla soğuk bir sesle "neredeydin" dedi.

– Bir arkadaştaydım.

Sadece "hımm" diye bir ses çıkardı, başka bir şey söylemedi.

Emniyet Müdürlüğü büyük, kale gibi bir binaydı, polis arabalarının park ettiği geniş beton bir bahçesi, çevresinde demir parmaklıkları vardı. Giriş kapısının önünde ellerinde makineli tüfekler olan iki polis nöbet bekliyordu. Polislere yaklaştık, Sıla "affedersiniz" dedi, babasını soracaktı ama polis cümlenin devamını dinlemedi bile "affetmiyorum," dedi, "hadi gidin buradan." Bir insanın tanımadığı birine bu kadar düşmanca, bu kadar nefretle davranabileceği hiçbir zaman aklıma gelmezdi. Polisin sesindeki düşmanlık insanın içini donduruyordu.

Sıla, "babamı" dedi ama gene sözünü bitiremedi, "gidin dedim ya." Polis Sıla'ya doğru vuracakmış gibi bir adım attı. Sıla geriledi, "sadece" dedi ama polis "hâlâ konuşuyor, yürü git" diye bağırdı. Sıla'yı kolundan tutup çektim. Polisle arasına girdim. Polisin sözümü kesmesine fırsat vermeden aceleyle "bırakılanlar nereden çıkıyor" dedim. Polis yandaki küçük kapıyı gösterdi "şuradan," sonra da aynı düşmanca tavırla ekledi "tabii bırakılırlarsa... Gidin hadi." Sıla'ya "gel" dedim. Emniyet Müdürlüğü'nün karşısındaki kaldırımda yan yana dizilmiş kahveler görülüyordu, "gidip orada bekleyelim" dedim, "baban çıkarsa oradan görürüz."

Normal zamanlarda sadece erkeklerin gittiği bu kahveler kadınlarla doluydu, kocalarını, babalarını, kardeşlerini, çocuklarını bekliyorlardı. En tenha gözükenine girdik. Şansımıza biz girdiğimizde cam kenarındaki masalardan birinde oturan iki kadın kalktı, "gidiyor musunuz" dedim, "evet" dedi bir tanesi, "sonra geleceğiz." Masaya oturduk. Küçük kapı tam karşımızdaydı.

– Aç mısın, dedim.

– Hiçbir şey yemedim ama aç değilim.

– Sen bir çay söyle, dedim, ben yiyecek bir şeyler alayım.

Kahvelerin hemen arka tarafında bir pastane vardı, oradan açma aldım. Açmaları Sıla'ya nerdeyse zorla yedirdim.

Beklemeye başladık.

Kahvenin içindeki donuk sessizlik arada bir elinde çay tepsisiyle dolaşan kahvecinin tepsisinden çıkan cam şıkırtılarıyla bozuluyordu. Kadınlar kendi aralarında fısıltıyla konuşuyorlar, gözlerini dikmiş karşıdaki küçük kapıya bakıyorlardı. Sanki yüksek sesle konuşurlarsa bekledikleri insanların başına kötü bir şey gelecekti. Fısıltılarının içinde çaresiz ve tedirgindiler. Öfkeyle bilenen bir korku, umutla umutsuzluk arasında gezinen bir şaşkınlık, geleceğin bilinemezliğinden kaynaklanan endişeli keder hepsinin yüzünde görülüyordu, sanki aynı yüz hepsine dağıtılmıştı.

Gün geçti. Gece oldu.

– Yanında babanın resmi var mı, dedim.

– Var ne olacak?

– Bakayım.

– Ne olacak?

Sinirli bir sesle "göstersene" dedim. Cüzdanını çıkartıp babasının resmini gösterdi. Biraz kendini beğenmiş bir hali olan yakışıklı bir adamdı.

– Tamam, dedim, çıkarsa tanırım... Sen arabayı al eve git, çok yorgunsun, biraz dinlen, sonra gelirsin.

– Sen de pek dinlenmiş görünmüyorsun.

İmayı duymamazlıktan geldim.

– Burada ne kadar bekleyeceğimiz belli değil, dedim, eğer nöbetleşe dinlenmezsek sandalyelerin üstünde uyur kalırız, baban önümüzden geçse görmeyiz.

Söylediğim mantıklıydı ve mantık her zaman Sıla'yı ikna ederdi.

– Peki, dedi, iki üç saat sonra gelirim.

– Acele etme, dedim, iyice dinlen.

Tam dört gün bekledik orada. Sırayla gidip biraz dinleniyor, üstümüzü değiştiriyor, dönüyorduk. Okula da televizyona da gitmedim, Hayat Hanım'ın beni merak edeceğinden endişe ediyordum ama o dört günde sadece bir program olduğu için bir gün gelmememin onu telaşlandırmayacağını düşünüyordum. Bekleyişimizin ikinci gününde Sıla bir ara, "sen o gece hangi arkadaşınlaydın," dedi. Beni şaşırtan bir hızla yalan söyledim, "eski ev arkadaşımla birlikteydik. Bizim sınıftan birkaç çocuk daha vardı." Kuşkulanıp kuşkulanmamak konusunda kararsız kalmış gibi baktı bana. Bir şey söylemedi.

Hana üstümü değiştirmek için gittiğim bir gece kapıda Şair'e rastladım, birlikte merdivenleri çıkmaya başladık.

– Bir haber var mı, dedi.

– Yok, bekliyoruz... Seni hiç aldılar mı?

– Birkaç sefer.

– Nasıldı?

– Çok kötüydü.

Sonra acıklı bir gülümsemeyle ekledi:

– Bir de bende son zamanlarda klostrofobi başladı, kapalı yerde ölecek gibi oluyorum.

– Peki niye...

– Niye mi dergiyi bırakmıyorum?

– Evet.

– İnsanlara neler yaptıklarını bile bile nasıl çekip gideyim?

– Ama...

– Aması yok. Böyle. Gerçeği bir kere gördün mü bir daha ondan kurtulamıyorsun, onun için insanlar gerçekleri görmek istemiyorlar zaten.

Üçüncü günün akşamı sıkıntıdan ve endişeden bir oyun keşfettik. Birimiz bir cümle ya da bir sahne söylüyor, öbürü onun hangi yazardan olduğunu hatırlamaya uğraşıyordu.

– Dostluk, her şeyden önce, kesin güven duymaktır, onu aşktan ayıran budur.

– Yourcenar.

– Sadece kişisel kusurlarımız değil istemeden başımıza gelen felaketler de ahlakımızı bozabilir.

– Henry James.

– Daha güvenli bir modelden yoksun olduğumuz için sonuçta biz de Yaradan gibi her şeyi kendi suretimizden yapıyoruz.

– Bilemedim, kim?

– Brodsky.

– Yenilginin kaçınılmaz olduğu bir mücadeleyi sonuna kadar sürdürecek, yürekleri delinmez bir zırhla kaplı adamlara nadir rastlanır.

– Bunu Conrad'dan başka kim yazar?

– Erkeklerle kadınların yanlış kavramları farklıdır.

– D.H. Lawrence.

– Müdür değil mantarın teki o...

Sıla bir kahkaha atıp eliyle ağzını kapattı. Bütün kahve dönüp bakmıştı.

– Beni güldürüyorsun, dedi, aklına nereden geldi... Gogol.

Aynı masada dört gün dört gece oturduk, açma yedik, oyun oynadık, sustuk ve hep karşıdaki kapıya baktık. Acının, endişenin, çaresizliğin, güçsüzlüğün çelik bir tel gibi bizi sürekli sararak birbirimize bağladığını hissettik. Onu teselli etmedim. Teselli etmeyecek kadar yakındık. Bazen gözleri doluyor, uzanıp elimi tutuyordu. Hem kardeş hem sevgili gibiydik. Sadece bir kere "bu yaptığını hiç unutmayacağım," dedi. Bir şey söylemedim.

Dördüncü günün sabahı Sıla birden "babam" diye bağırarak ayağa fırladı. Küçük kapının önünde bir adam duruyordu. Koşarken bir arabanın altında kalacaktı, son anda zor tuttum.

Babasına sarıldı:

– Nasılsın?

Babasının sakalları uzamış, yüzü solmuş, gözlerinin altı çökmüştü. Giysileri kirlenmişti.

– İyiyim kızım, dedi.

– Ne oldu?

– Mallarımı geri almak için dava açmayacağıma dair bir kağıt imzalattılar.

– Hadi gidelim, dedi Sıla.

Arabaya bindik, babası arkaya, Sıla benim yanıma oturdu.

– Fazıl dört gün boyunca benle burada bekledi.

Babası bana bakıp, "teşekkür ederim," dedi, "siz de benim yüzümden sıkıntılara katlanmışsınız."

Evlerine varınca arabadan indiler. İnerken Sıla, "beni burada bekle," dedi. Bekledim. Yarım saat sonra geldi. Arabaya binince "beni çok rüzgarlı bir yere götür," dedi, "deli gibi rüzgâr essin."

Onu boğazla denizin birleştiği burundaki yüksek bir tepeye götürdüm. "Sen bekle" deyip arabadan indi. Yüzünü denize döndü.

Sert bir kuzey rüzgârı esiyordu. Uğultusunu arabanın içinden duyuyordum. Orada rüzgâra karşı durdu. Bir ara kollarını iki yana açtı. Öyle epeyce durarak rüzgâra bıraktı kendini. Rüzgârla yıkanıyor gibiydi.

Sonra arabaya döndü.

– Dondum, dedi, şimdi götür ısıt beni.

Hana döndük. Onun için aldığım sigara paketi köylülerin yanında duruyordu.

IX

Sahnede oynayan üç kadın gümüş ipliklerle işlenmiş kırmızı sutyenler giymişlerdi. Karınları çıplaktı. Birkaç yerinde bellerine kadar yırtmaçları olan uzun şifon etekleri her kımıltıda açılıyor, biçimli bacakları esmer kasıklarına kadar gözüküyordu. Darbukaların sert ritmiyle klarnetin kaygan oynaklığına uyarak iri kalçalarını, sanki kalçaları onlardan ayrı canlılarmış gibi küçük adımlar atarak iki yana şehvetle sallıyorlardı. Işıklar sütyenlerindeki, eteklerindeki pullara çarparak yansıyordu. Birden ellerini eteklerinin içine sokup üç bayrak çıkardılar, bayrakları sallayarak şehvetli oyunlarını sürdürüyorlardı. Salonda müthiş bir alkış koptu. Bayraklı dansözler öylesine tuhaf bir görüntüydü ki insan gerçek olduklarına inanmakta zorlanıyordu. Memeler, kalçalar, göbekler, bayraklar hep birlikte dalgalanıyordu.

Ara olduğunda daha önce konuştuğum sarışın kadına "o bayraklar neydi öyle," diye sordum. Kadının yanında oturan, beyaz uzun saçlarını özenle ıslatıp taramış adam, "bayrak kutsaldır," dedi.

– Onu söylemiyorum, dedim, nereden çıktı o bayraklar, dansla ne ilgisi var?

Adam, sanki kutsal bir metinden okur gibi tumturaklı bir sesle "bayrak çıktıysa nerden çıktığı sorulmaz," dedi sinirlendirici bir bilgiçlikle.

Adamın bu hâlini görünce, "bayrak kadının şeyinden çıktı" demek istedim ama sarışın kadının yüzünü gördüm. Donuk ve ifadesizdi, gözbebekleriyle fazla konuşmamam için beni uyarıyordu. Adamdan değil ama korkunun yerin dört kat altındaki, yarı çıplak kadınların şarkı söyleyip oynadığı bu salona kadar sızmış olmasından korktum. Sustum. Korku her yerde karşıma çıkmaya başlamıştı. Daha önceki hayatımda korkmamı gerektiren herhangi bir şeyle hiç karşılaşmamıştım. Ne korkmayı biliyordum ne cesur olmayı, ikisine de ihtiyacım olmamıştı. Ama beni korkudan çok korkuyla birlikte ortaya çıkan o aşağılanmışlık duygusu rahatsız ediyordu, kimden korktuğumu, neden korktuğumu bilmiyordum ama aşağılandığımı hissediyordum.

O akşam eve gittiğimizde Hayat Hanım'a sordum:

– Dansöz kadınlar niye bayrak çıkardılar öyle? Daha önce hiç görmemiştim.

– Sopalı adamların televizyona saldıracağına dair bir söylenti var, herhalde onun için böyle bir şey yaptılar, dedi.

– Saldırırlar mı gerçekten?

– Bilmem... Gerçi burası Remzi'nin koruması altındadır ama o adamlar buna aldırmayabilir.

Remzi'nin kim olduğunu biliyordum ama "Remzi" derkenki doğallığının bende yarattığı öfkeli meraka engel olamadım. Bir anda zihnim yolundan sapmış, kadınlarla bayrakları unutup, içimde epeydir taşıdığım zehirli düşüncelerle dolu yırtığın içine düşmüştü. Zihnim o yırtığa yuvarlandığında öylesine baş döndürücü bir acı hissediyordum ki sara krizi gibi denetimsiz kasılmalarla çırpınmaya başlıyordum. Sözlerimi ve davranışlarımı kontrol edemiyordum.

– Remzi kim, dedim.

– Hani bir kere koridorda rastlamıştın.

– Arkadaşın mı?

– Evet.

– Yakın bir arkadaş mıydı?

Sınırı geçtiğimin farkındaydım, Hayat Hanım uyarır gibi baktı yüzüme.

– Evet, dedi.

– Seni onunla yan yana hayal edemiyorum, dedim.

– Hayal etmene gerek yok zaten.

Pusuda bekleyen kıskançlık aniden şahlanarak, üzengisine takıldığım çıldırmış bir at gibi koşuyor, beni yerlerde sürüklüyordu. Bunun ne kadar acınacak bir görüntü olduğunun farkındaydım ama kıskançlığı durduramıyordum.

– Ama sen onunla olabilecek bir kadın değilsin...

– Ben nasıl birisiyle olabilecek bir kadınım? Senin gibi birisiyle mi? Bir sor bakalım insanlara benim gibi bir kadının senin gibi biriyle olmasını doğal karşılayacaklar mı?

Elimi tuttu.

– Bunun bir kuralı yok ki...

Bu kadar basit ve sıradan bir cümlenin canımı böyle yakabileceğini tahmin edemezdim. Acıyı hissediyordum ve anlaşılmaz biçimde bu acıyı daha da artıracak bir merak büyüyüp duruyor, beni durmam gereken sınırların ötesine itiyordu.

– O adam gibi başkaları da oldu mu?

Mesafeli bir sesle:

– Garip bir soru oldu, dedi.

– Özür dilerim, dedim.

Galiba benim halime acıdı.

– Geçmiş tehlikelidir... Değiştiremezsin, değiştiremeyince o insanın geçmişine düşman olursun, o geçmişi öldürmek istersin. Ama bir insanın geçmişini öldürebilmek için o insanı öldürmen gerekir. O insanın geçmişini yok etmek için onu öldüreceksin.

Birden şehvetle alaycılığın karıştığı biçimde gülümsedi.

– Beni öldürmek istiyor musun?

– Bazen...

Hafifçe bana doğru yaklaştı.

– Bazen öldür o zaman, dedi...

Dolgun, beyaz boynuna baktım, o boyna bastıran kendi ellerimi gördüm, bu beni büyük bir arzuyla heyecanlandırdı. Birini öldürme düşüncesinin cinsel bir arzuya dönüşebileceği hiçbir zaman aklıma gelmemişti. Zihnim bu sefer de başka bir biçimde yolundan sapmış, daha önce varlığından haberdar olmadığım ürkütücü bir hazzın patikalarını tırmanmaya başlamıştı. O patikayı oluşturan taşlardan birinin, ona karşı olan isimlendiremediğim duygular kalabalığının içinde yer alan şiddetli bir kızgınlığın da cinsel isteğe dönmesi olduğunu bugün anlıyorum.

Onunla birlikteyken neredeyse her duygumun ona değdiğinde arzuya dönüştüğünü yaşayarak öğrenmiştim. Hiçbir kural tanımamanın onu taşıdığı tanrıçalığın sınırlarında yarattığı mucize buydu. Bütün duyguları, hiç çaba göstermeden şehvetin baş döndürücü girdabına katabiliyordu. Hangi duygudan yola çıkarsam çıkayım sonunda aynı yere varıyordum.

Hayat Hanım yüzüme bakıyordu. İçimden geçen her duyguyu sanki görüyordu.

– İçeri gitmek ister misin?

– Evet.

– Beni öldürecek misin?

– Evet.

Onu öldürdüm. O gün ve daha sonra onu defalarca öldürdüm. Ölürken dümdüz gözlerimin içine bakıyordu, gözbebekleri büyüyordu, büyüyen gözbebekleri bir uçurum gibi beni içine çekiyordu. Başka bir insana dönüşüyordum. Bilmediğim, tanımadığım birine. Bir yabancıya. Var olduğunu tahmin bile edemeyeceğim gizli bir haz ülkesini keşfediyordum, oraya insan ruhunun karanlık ve ıssız vadilerinden geçerek varıyordum, her an yolumu kaybedebilir, o karanlık vadide kalabilir, hayatımı bir başkası olarak sürdürebilirdim. İçimdeki karanlık bir yan, orada kalmak, orada kendini öfkeli bir tutku ve parçalayıcı bir zevkle tüketmek istiyordu. Bugün bile hâlâ yüreğimin bir yerinde o isteğin, canlanmak için yağmurların gelmesini bekleyen ölü bir ağaç gibi durduğunu hissediyorum.

Ben yataktan kalktım, o kollarını başının altına koymuş yattığı yerden hastasını iyileştirmiş bir büyücü gibi memnuniyetle bana bakıyordu.

"Ve sen ki ruhumu cennete getirmek için
Bıraktın adımlarının izini cehennemde", dedim.

Bir kahkaha attı.

– Bu da neydi?

– Ünlü bir İtalyan şairinin kitabından, dedim.

– Bir daha söyle bakayım.

– Ve sen ki ruhumu cennete getirmek için

Bıraktın adımlarının izini cehennemde...

– Bundan alınacak mıyım yoksa memnun mu olacağım?

– Sen seç, dedim.

Kalkıp aynada kendine baktı.

– Boynumda izler bırakmışsın, dedi, boynuma eşarp bağlamalıyım... Hadi bir kahve içelim.

Hana döndüğümde Şair yanında tanımadığım biriyle mutfakta oturuyordu. Beni görünce, "hah, gel," dedi, "seni bekliyorduk." Kendime bir çay koyup yanlarına oturdum.

– Bu Mümtaz, dedi, dergide birlikte çalışıyoruz. Ben yarın memlekete gidiyorum, bir süre burada olmayacağım. Düzelteceğin yazıları sana Mümtaz getirecek... Vazgeçmedin değil mi?

– Hayır.

– İyi... Yazıları düzeltirsin sonra Mümtaz gelir senden alır.

– Olur.

– Yazıları ortada bırakma. Dergi yasal bir dergi, illegal bir durum yok ama gene de ortada olmamasında yarar var.

Gene "olur" dedim. Oğluyla iftihar eden bir baba gibi gülümsedi. "Kendine dikkat et," dedi omzuma vurarak, "döndüğümde görüşürüz." Öyle ayrıldık. O sakin gecenin içinde nasıl dehşet verici bir tohumun büyüdüğünü hiçbirimiz bilmiyorduk.

Konuşmalar ve sert bağrışlarla uyandım. Hava aydınlanıyordu. Kapıyı açtım. Koridor polislerle doluydu. Altı polis Şair'in kapısını yumruklayarak "kapıyı aç, polis," diye bağırıyorlardı.

Bütün odaların kapıları açılmıştı. Bir tek Şair'in kapısı açılmıyordu. Polislerden biri, "açmazsan kapıyı kıracağız," dedi. İçerden ses gelmedi.

Kapımı kapatıp balkona koştum. Şair'in odası benden üç oda ötedeydi. Balkonunu rahatça görebiliyordum.

Önce aşağıya baktım. Yanar döner lambalarıyla polis arabaları sokağı doldurmuştu. Mavi kırmızı ürkütücü şimşekler duvarlara çarpa çarpa çoğalıyordu. Sonra Şair'in balkonuna baktım. Balkondaydı. Üstünde ince bir gömlek vardı. Aşağıdaki polisler de onu görmüşlerdi. Ellerindeki telsizlerden "balkonda" diye içerdekilere haber veriyorlardı. Polislerin kapıya yüklendiklerini, kapının çatırdadığını duyabiliyordum.

Şair balkonda beni ürküten bir sükûnetle duruyordu, sanki bir yaz sabahı güneşin doğuşunu seyretmeye çıkmış gibiydi. Ona bakıyordum. Kapıyı açmakta gecikerek polisleri kızdırmasından ve ona kötü davranmalarından çekiniyordum. "Kapıyı aç" demek istiyordum ama sesim çıkmıyordu.

Göz göze geldik, bana baktığını ama beni görmediğini anladım. Bir şey düşünüyordu.

Bir keresinde ona "senin en büyük hayalin ne" diye sormuştum, "milyonlarca insanın toplandığı bir meydanda kürsüye çıkıp gerçekleri anlatmak ve insanların o gerçekleri anladıklarını görmek" demişti. Sanki hayalini kurduğu konuşmasını yapmaya hazırlanıyordu. Bir an buna inandım, konuşmasını bekledim.

Kapısı çatırdıyordu, kırılmak üzereydi.

Sakin hareketlerle bir elini duvara dayayıp parmaklığın üstüne çıktı. Aşağıdaki polisler susmuşlar ona bakıyorlardı. Derin bir nefes aldı, gökyüzüne baktı sonra bana doğru döndü. Yüzü boş bir cam gibiydi, bulutların yüzüne yansıdığını gördüm.

Elimi uzattım ama çok uzaktık.

Birden dayandığı duvarı hızla itip kendini boşluğa bıraktı.

Polis arabalarının biraz ilerisine düştü. Yere çarptığında çıkan sesi duydum. Son bir kez kıpırdandı. Bir bacağını kendine doğru çekmiş, iki kolu iki yana açılmıştı. Şakağından kan sızıyordu.

İçeri kaçmak istiyordum ama kaçmadım, ona baktım, sanki o anda ona yapabileceğim tek dostluk onun ölüsüne bakmakmış gibi geldi bana. Bakmak, onun ölümüne neden olanlara meydan okumak gibiydi benim için.

Onu tutabilecekken ellerimden kaçırmışım gibi derin bir pişmanlık hissediyordum. Bağırsam belki durdurabilirdim ama sesim çıkmamıştı. Onun boşluğa kayışını görmüştüm.

Polisler kapıyı kırmışlar, onun balkonuna çıkmışlardı. Aşağıya bakıyorlardı. Ben de polislere bakıyordum. Aralarından biri beni fark etti, "ne bakıyorsun," dedi "gir içeri." Bakmaya devam ettim.Yanındakilere dönüp "şunu alalım," dedi beni göstererek, öbürü "boşver" dedi, "zaten şimdi bir sürü rapor yazmak zorunda kalacağız."

Polisler gittiler.

Ben balkonda kaldım. Soğuktan, kederden, korkudan titriyordum.

"Bir gün önce gitmiş olsaydı yakalanmayacaktı," diye düşündüm, "hatta dün gece gitse bile kurtulabilirdi." Niye daha önce gitmedi? Gerçeği birden anladım, daha önce gitmeye kalksa da fark etmeyecekti. Ne zaman gideceğini biliyorlardı. Dün gitmeye kalksa dün, yarın gitmeye kalksa yarın geleceklerdi. Onu hayal kırıklığına uğratmak, onun gücünü kırmak, belki de onunla alay etmek istiyorlardı.

Hava kapalıydı. Güneş ışıkları bulutların aralığından sızıyordu. Sabah oluyordu. Sokak bomboştu, Şair'in düştüğü yerde gittikçe koyulaşan bir kan izi kalmıştı.

Odadan hızla çıkıp aşağıya indim.

Herkes mutfakta toplanmıştı. Ölümün aniliği karşısında her zaman hissedilen inanamazlık, şaşkınlık ve dehşet hakimdi masanın başında oturanlara. Gülsüm sessizce ağlıyordu. Birbirlerine aynı hikâyeyi baştan, kendi gördükleri gibi anlatıyorlardı.

Şair'in "karışık bir adam" dediği komi, "niye kendini attı ki" dedi, "bence aptallık etti." Kimse cevap vermedi. "Kapalı yerde kalmaya dayanamıyordu" diyecektim ama sustum.

"Telefonu olan var mı," dedim, bodyguard telefonunu uzattı. Saat çok erkendi. Sıla'ya bir mesaj çektim, "uyanık mısın?" Üç dört dakika sonra "kimsiniz" diye bir mesaj geldi. "Benim, Fazıl."

Bir saniye sonra telefon çaldı. Annesiyle babasını uyandırmamak için kısık sesle konuşuyordu ama sesindeki endişeli telaş açıkça belli oluyordu:

– Nasılsın? Ne oldu?

– Ben iyiyim, dedim, merak edecek bir şey yok... Okula gitmeden önce buluşabilir miyiz?

– Bir saat sonra beni al... İyisin, değil mi?

– İyiyim, dedim.

Ölüme şaşıracak, bu korkunç ölümden dehşete düşecek, ölümden nefret edecek birisiyle konuşmak, teselli edilmek değil, dehşetimi ve nefretimi paylaşmak istiyordum. Bir saat sonra onu aldım. Arabaya biner binmez, "ne oldu" dedi. Ona bütün olanları anlattım. "Aman Allahım" diye nerdeyse inleyerek dinliyordu.

– Bağırsam belki durdurabilirdim ama sesim çıkmadı, dedim.

– Durduramazdın herhalde, dedi, anlattıklarına bakılırsa balkona çıktığında kararını vermiş olmalı.

– Belki ama ben hayatım boyunca, bağırsam belki durdurabilirdim diye düşüneceğim.

– Kendine haksızlık edersin, gerçeğin öyle olmadığını biliyorsun.

Ona bir pastaneden sandviç aldım, benim canım istemiyordu, zorla yarısını bana yedirdi.

– Fazıl, buralarda yaşanmaz, dedi, her şey gittikçe daha kötü oluyor. Annemle babamın pasaportunu kesinlikle vermiyorlar ama galiba ben pasaportumu alabileceğim. Senin pasaportun var mı?

– Var.

– Vizelerin var mı?

Kederle gülümsedim.

– Var, dedim, babam zenginken bütün vizeleri almıştım.

– Ben Hakan'la yazışıyorum, dedi, onun okuluna gitmek için başvuracağım. Sen de başvur. Notların iyi, kabul ederler. Birlikte gideriz, hem çalışır, hem okuruz.

– Bilmem ki, dedim, bir düşüneyim.

– Düşün, dedi, ama iyi düşün... Burada bir gelecek yok.

– Biliyor musun, dedim, onun balkondan boşluğa kayışı gözümün önünden hiç gitmiyor. Sanki ellerimin arasından kayıp gitti, onu tutamadım.

İçini çekti "tutamazdın," dedi, "kimse tutamazdı." Sonra birden telaşlandı, "onunla arkadaş olduğun için sana bir şey yapmazlar, değil mi?"

– Artık o kadarını yapmazlar, dedim.

– Onlar her şeyi yaparlar, dedi.

Şair'in işini devraldığımı ona söylememiştim, söylesem daha fazla endişelenecekti.

– İstersen okula gitmeyeyim, seninle kalayım, dedi.

– Yok git... Yarın buluşuruz.

Onu okuluna bıraktım. Söylediklerinden çok, sesi bana iyi gelmiş, içimi biraz rahatlatmıştı. Ama ondan ayrıldıktan sonra ölümün dehşeti geri dönmüştü.

Şair'in balkon parmaklıklarından atladığını gördüğümde ben de onun ölümünün bir parçası olmuştum. Hayatın bitip ölümün başladığı çizgiye onunla birlikte kaymıştım, Şair çizgiyi geçmiş ben çizgide kalmıştım, ne ölüme doğru ilerleyebiliyor ne hayata geri dönebiliyordum. İçimde bir şey sürekli olarak bir boşluktan aşağıya düşüyor, yere çarpmadan hemen önce durup tekrar yukarı dönüyordu, tamamlanamayan bir ölüm yaşıyordum. Her düşüşten sonra yukarı yükseldiğimde o tamamlanamayan ölüm hayata çarpıyor, içimde bir şeyleri yıkıp değiştiriyordu. Ölüm, bir oyun olmaktan çıkıp korkunç bir gerçek olarak içime, varlığımın derinine yerleşiyor, her şeyin görüntüsüne yeni bir biçim veriyordu. Sürekli ölüme doğru düşüşümü durduramıyordum.

Ölüme bu kadar yaklaşınca zaman yavaşlıyor, yaşarken hissedilen, benimsenen, tek gerçek olarak kabul edilen düşüncelerle duygular yavaşlayan zamanın içinde ağırlıklarını ve hızlarını kaybediyorlardı. Sadece acı ve Şair'i tutamadığım için duyduğum suçluluk duygusu değişmiyordu.

O akşam hanın girişinde Emir'le Tevhide'ye rastladım. Emir, "gelsene" dedi, "Tevhide'yi yatıracağım, ondan sonra biraz laflarız." "Olur," dedim. Benim gibi onun da konuşmaya ihtiyacı vardı. Merdivenleri çıkarken Tevhide elimi tuttu, "Şair ölmüş" dedi, Emir'e baktım, "ben anlattım" dedi.

– Evet, dedim, öldü.

– Benim annem de öldü, dedi Tevhide.

Sonra durup çoktandır aklını kurcaladığı anlaşılan soruyu sordu:

– Biz de ölecek miyiz?

– Bir gün.

– Ne gün?

– Bilmiyorum.

– Niye herkes ölüyor?

– Bilmiyorum.

– Ölenler gökyüzüne gidiyormuş, babaannem söyledi.

Benden bunu doğrulamamı bekler gibiydi, sesimi çıkarmadım. Odaları hanın arka tarafındaydı, balkonu yoktu ama benimkinden daha büyüktü, iki yatak, benimkine benzer bir sehpa, eski bir deri koltuk, bir de yumuşak ışıklı bir masa lambası vardı. Sehpanın üstüne kitaplar dizilmişti.

Emir Tevhide'yi yatağına yatırdı, *Alice Harikalar Diyarında*'yı okumaya başladı. İngilizce okuyordu. Tevhide de arada İngilizce sorular soruyordu. Deri koltuğa oturmuş onlara bakıyordum. Alice'le birlikte sanki onlar da başka bir diyara geçmişlerdi.

Tevhide uyuduktan sonra Emir, "bir konyak içer misin?" dedi, "konyağın mı var?" "Bir şişe var, arada sırada içiyorum."

İki su bardağına ikişer parmak konyak koydu, "bardaklar için kusura bakma." Konyağı su bardağında ikram ettiği için gerçekten utanmıştı. Elimde olmadan hafifçe gülümsedim.

Tevhide'ye baktı, "annesi İngilizdi," dedi.

Sustuk.

Bu konuda başka bir şey söylemedi, ben de sormadım, geçmişten konuşmaktan hoşlanmadığını daha önce fark etmiştim. Konuşmaların arasına karışan bazı cümlelerden anlayabildiğim kadarıyla çok eski ve çok zengin bir Osmanlı ailesine mensuptu, Sıla'nın babasının başına gelen bir felakete benzer bir felaket onların da başına gelmişti. Annesiyle babası yurtdışındaydı.

– Niye polisler baskına geldi?

– Bir dergi çıkarıyordu.

– Bir dergi çıkardığı için mi oldu bütün bunlar?

Sıla'nın bana baktığı gibi ben de Emir'e biraz acıyarak biraz da kızarak baktım.

159

– Bırak dergi çıkarmayı, sadece Şair'i tanıdığımız için bile bizi alıp götürebilirler.

Birden tedirgin oldu.

– Ciddi misin?

– Hem de çok ciddiyim.

– Ama bu çok saçma.

– Saçma ama gerçek...

Yüzünü buruşturdu, kendi kendine konuşur gibi "bana bir şey olursa Tevhide'ye bakacak kimse yok," dedi.

Şair'le konuştuklarımızı hatırladım, kendi sesimde onun alaycı ve olgun sesini duydum:

– Bütün servetini kaybetmişsin, çocuğunla bir han odasında yaşıyorsun, bir insan sırf dergi çıkarttığı için gözümüzün önünde öldü... Bütün bunları yaşarken saçmalıklar seni hâlâ nasıl şaşırtıyor?

– Bilmiyorum... Galiba saçmalıklara alışmayı reddediyorum... Bu saçmalığın gerçek olduğunu kabul edersem bir daha hiç kurtulamayacakmışım gibi geliyor.

– Reddetmek de kurtulmanı sağlamıyor.

– Korkunç olan da o zaten.

Konyaklarımızı içtikten sonra odadan çıkarken, "sence buradan taşınmalı mıyım" dedi.

– Bilmiyorum, dedim.

X

Zaten her şey değişiyordu ama Şair'in ölümünden sonra sanki birden daha hızlı değişmeye başladı. Bir şelaleye yaklaşırken hızlanıp kabaran sularla sürükleniyormuşum duygusu içimi kaplıyordu. Sadece altı ay önce bambaşka bir hayatım vardı, bambaşka bir insandım.

Hayat Hanım'la birlikte seyrettiğimiz çöl yılanları gibi deri değiştiriyordum, eski kişiliğimden, duygularımdan sıyrılıp çıkıyordum. Ben gene bendim ama yeni bir derim, eskilerinden çok daha karmaşık yeni duygularım vardı. Eski duygularım içimde bir yerde ölü bir parça olarak duruyorlardı, oradaydılar ama ölüydüler. Benimle, bir zamanlar bana ait oldukları gerçeği dışında bir ilişkileri kalmamıştı. O eski güveni, o güven içinde küçük kır çiçekleri gibi fazla yer kaplamadan, içimi yakmadan, acıtmadan var olan duyguları düşündüğümde; kuruyup çatlamış, biçimini

161

kaybedip yerini derin izlerle ruhumu kanatan yeni duygulara bırakmış, bu eski duyguları hayretle, hatta bir zamanlar var olduklarına bile inanamadan hatırlıyor, "ben gerçekten böyle mi hissediyordum" diye şaşkınlıkla düşünüyordum.

Öfkeyi, korkuyu, intikam isteğini, kıskançlığı, şehveti, aldatmayı, özlemeyi öğrenmiştim. Kendimden daha yaşlı bir kadınla onun geçmişini öldürmeye çalışarak sevişiyor, kendi yaşımdaki bir kadınla başka bir ülkede, başka bir yaşam kurmayı düşünüyor, korkudan ellerim terleyerek daha önce hiç okumadığım türden yazılar okuyup düzeltiyor, bir şafak vakti ince gömleğiyle kendini boşluğa bırakan bir dostu, donuk bir kederle küçük bir kapıya bakan sessiz kadınları hatırlıyor, hiç bilmediğim bir nedenden dolayı hiç tanımadığım insanlara yardım etmek istiyordum. Bütün duygularım ruhumda derin izler bırakıyordu ama o izlerin nereye gittiği, benim nerede olduğum hakkında hiçbir fikrim bulunmuyordu. Nereye gittiğimi oraya vardığımda anlayacaktım.

Hayat Hanım'la Sıla konusundaki duygularım ise derinleştikçe daha yoğun bir esrarın içine gömülüyordu, özlüyordum, kıskanıyordum, arzuluyordum ama bütün bu duyguların toplamından oluşan duygunun adını koyamıyordum. Duygularım yoğunlaştıkça kararsızlığım artıyordu. Eskiden böyle kuvvetli duygularım yoktu ama yönümü, hedefimi çok kesin bir şekilde biliyordum, şimdi güçlü duygularım vardı ama yönümü kaybetmiştim.

Mümtaz bana yazılar getiriyordu. Tutuklanan binlerce insanı, işsiz kalan yoksulları, baskıları, eziyetleri, ezilenleri anlatan yazılar. Sanki hayatın kapağını kaldırmış, orada benim hiç tanımadığım başka bir hayat bulmuştum.

İnsanların "cehennem" dediği şeye benziyordu bu hayat. İnsanlar açlıktan sokaklarda kendilerini yakıyorlardı, işsiz babalar eşleriyle çocuklarına siyanür verip aileleriyle birlikte intihar ediyorlardı, şehir hayatına uyum gösteren binlerce kadın o hayata uyum gösteremeyen erkekler tarafından her gün, her yerde öldürülüyordu, aç çocuklar sokaklarda dileniyordu, gençler ülkeden kaçmaya uğraşıyordu, her şafak vakti evler basılıyor, polisler muhalifleri alıp götürüyorlardı, işyerleri batıyor, işçiler beş kuruş alamadan sokağa atılıyordu ve bütün bunlar korkunç bir sessizliğin altına saklanıyordu. Gazeteler, televizyonlar, haber bültenleri bunlardan söz etmiyordu. İnsanların açlıktan kendilerini yakmaları serbestti ama bundan söz etmek yasaktı. Şair'in gördüğü gerçekleri artık ben de görüyordum. Bu gerçekleri kimseye söylemiyor, kimseye anlatmıyor, onları gizli bir kimlik gibi içimde taşıyordum.

Ölümün sarsıntısı hafiflemeye başlamış, hayatım yeniden normal seyrine dönmüştü. Düzensizliği bir düzen gibi görmeye başlamıştım. Hayat Hanım'la ve Sıla'yla buluşuyor, okula gidiyor, televizyon programlarına katılıyor, derginin yazılarını düzeltiyordum.

Bir akşam çekime ara verildiğinde koridora çıkmıştım, salon kapısının yanında duruyordum. Hayat Hanım platformda Hay'la gülüyordu, onu uzaktan görüyordum. İnsanlar çay içiyorlar, kendi aralarında konuşuyorlardı. Birden bir uğultu duyuldu. Gittikçe yaklaşıyordu.

Kalabalık bir grup dağlardan kayan çamur yığınları gibi her şeyi yıkarak merdivenlerden iniyordu. Bazılarının elinde sopalar vardı. Asla yatışmayacak gibi gözüken bir hiddetle haykırıyorlar, küfürler ediyorlardı. Kadınlar çığlıklar atarak büfenin arkasından kulise doğru kaçmaya çalıştılar. "Bayrak çıkınca nereden çıktığı sorulmaz" diyen saçları özenle taranmış adamın, yüzünde bir gülümsemeyle kollarını iki yana açarak gelenleri karşıladığını gördüm. Gelenlerden biri elindeki sopayla adamın alnına vurunca yüzündeki gülümseme dondu, kanlar içinde plastik iskemlelerin üstüne devrildi.

Her şeyi kırıyorlar, yakaladıkları kadınlarla erkekleri tekmeliyorlar, saçlarından çekerek yerlerde sürüklüyorlardı. Yere düşenler acıyla çığlıklar atıyorlar, vurmamaları için yalvarıyorlardı. Kalkıp inen sopaları görüyor, kemik seslerini duyuyordum. Yerlerde hızla küçük kan gölcükleri oluşuyordu.

Ben şaşkınlıkla bakarken tam elmacık kemiğimin üstüne bir yumruk yedim, hafifçe gerilerken içimde biriken bütün öfkeyle bana vuran adamın kafasına bir yumruk attım. Hayatımda ilk kez birine böyle vuruyordum. Adam ayaklarımın dibine yığıldı. Bir grup çevremi sardı. İnsafsızca vuruyorlardı. Ben de onlara vuruyordum. Acıyı hissetmiyordum, sanki bütün duygularımı kaybetmiştim, içimde yalnızca öfke kalmıştı. Sel suyu gibi kabaran korkunç bir öfke ve nefret.

O sırada biri beni içeri çekti. Arkamdan salonun kapılarını kapattı. Hayat Hanım'dı. Olanları görünce koşarak gelmişti. Beni içeri çektikten sonra kapattığı kapıyı kilitleyip sırtını kapıya dayadı. İki eliyle beni tutuyordu. Bilincimi kaybetmiş gibiydim, dışarı çıkmak istiyordum, korkmam gerektiğini kavrayamıyordum. Korku artık ona daha fazla dayanamayacağım kadar büyüyünce birden kaybolmuştu. Saçlarımdan tutup yüzümü yüzüne yaklaştırdı, beni öpmeye başladı, dışarda gürültüler sürüyor, biz kapıya dayanmış öpüşüyorduk.

Bu ne kadar sürdü bilmiyorum. Dışarda gürültüler kesildi. Adamlar bütün sandalyeleri, büfeyi, camları parçalamışlar, yakalayabildiklerini dövüp gitmişlerdi.

O gecelik çekimi durdurdular. Herkes korkuyla dağıldı. Beyaz saçlı adamı hastaneye kaldırdılar. Benim elmacık kemiğimin üstü şişmiş, gözümün kenarı morarmıştı. Hayat Hanım'la birlikte heykelli lokantaya gittik. İlk kadehi hiç konuşmadan çabucak içtik.

– Sen beni öptün mü o adamlar saldırırken?

– Seni durdurmak için aklıma başka bir şey gelmedi, dedi.

Onun gibi birini bir daha bulamayacağımı biliyordum. Onsuz bir hayatın ne kadar eksik olduğunu da...

"Sen..." dedim ama devamını getiremedim. Yüzüme baktı, "hadi bir tane daha içelim," dedi.

Hınç dolu bir vahşet günlük hayatımızın içine sızmıştı. Onu hayatımızın dışına atmaya uğraşıyorduk. Bana son seyrettiği belgeseli anlattı. Su böcekleriyle ilgiliymiş belgesel, balık yakalayan, kendilerinden büyük kurbağaları yiyen böcekler varmış. Yusufçuk denilen su böcekleri ise çiftleşirken bacakları ve gövdesiyle bir kalp şekli oluşturuyorlarmış, sevişmeleri aşkın sembolüne dönüşüyormuş.

Daha sonraları, her şeyin daha da zorlaştığı günlerde, baharın başlamasını beklerken aniden kar fırtınasının başladığı bir gece, "Sıla'yı da al git buralardan" diye ısrar ederken, "artık öpüşerek tehlikelerden kaçınabileceğimiz günler geride kaldı" diyecekti. Savrulan kar tanelerinin bütün şehri örten ışıltılı sessizliği içinde, geçmiş yüzyıllardan kalmış gibi bir bozacının sesi duyulmuştu. Sevinçle "bozacı geçiyor" demiş, çıplak omuzlarını örtmeyi bile düşünmeden pencereyi açıp bozacıyı çağırmıştı. Kış kokan bozaları içerken "niye öyle söylüyorsun" demiştim, "yusufçukları da mı hatırlamıyorsun?" "Ah Antonius," demişti, "onlar çok kısa yaşıyorlar, biliyor musun," sonra da her zaman yaptığı gibi "biraz daha tarçın ister misin" diyerek konuyu değiştirmişti.

Ertesi hafta bütün hayatımızı etkileyecek bir şey oldu, Sıla pasaportunu aldı. Şair'in ölümünden sonra neredeyse her gün pasaport dairesine, mahkeme kalemine, akrabaları olan avukata gidiyordu. Sonunda yaşlı bir polis yardım etmiş, dosyasını bulmuş, "senin zaten pasaportunda yasak yok ki niye el koymuşlar," deyip pasaportunu vermiş, bir de pasaportun teslim edildiğine dair zabıt tutup onu da pasaportun arasına yerleştirmiş.

Kutlamak için gidip birayla midye tava yedik. Çok neşeliydi.

– Hadi gidip köylülere bakalım, dedi.

Son zamanlarda "köylüleri ziyaret etmeye" daha fazla gidiyorduk. Rollerimiz de değişmişti. Şimdi daha sert davranan bendim. Şiddetten daha fazla zevk alıyordum. Olaylar başka türlü gelişseydi belki de varlığının hiç farkına varmayacağım bir şiddet düşkünlüğü ortaya çıkmıştı. Onu iki bileğinden tutup yatağa bastırıyordum, "ben bir kadınım," diyordu, ilk günkü çocukça tepki aramızda ikimize de heyecan veren bir oyuna dönmüştü.

Sigarasını içerken, "dün gene okulun oraya Yakup geldi," dedi, "oradan geçiyormuş, öyle dedi. O kadar ısrar ediyordu ki daha fazla reddetmekten utanıp binmek zorunda kaldım. Mecburen ona evimiz burada dediğim yere kadar gidip orada yeniden eve döndüm."

– Polisler nerede oturduğunuzu biliyorlar artık, ona yalan söylemene gerek yok ki...

– Olsun... Durduk yerde ihbar ederse gene gelirler. Bilmemesi daha iyi.

Sigarasından bir nefes çekti, usta bir tiryaki gibi tadını çıkararak içiyordu.

– Daha büyük bir araba almış, bayağı lüks bir şey... Bir de şoför tutmuş.

Güldü.

– Tahmin et şoförün adı ne?

Sıla'nın babasının adını hatırlamaya çalışıp "Muammer" dedim.

– Yakup'u çok küçümsüyorsun.

– Ne peki?

– Yakup.

– Şoförünün adı Yakup mu?

– Evet.

– Uyduruyorsun, dedim.

Kaşlarını çattı.

– Sen benim hiçbir şeyi uydurduğumu gördün mü?

– Gerçekten şoförünün adı Yakup mu?

– Söyledim ya Yakup... Yakup sağa dön diyor şoförüne, şoförü de emredersiniz Yakup Bey diyor... Komedi gibi...

– Ne anlatıyor peki?

– İşlerini büyütmüşler. Abisi ilçe başkanı olmuş, çevre belediyeler de ihaleleri bunlara veriyorlarmış. Aynı yolu beş defa yaptıklarını övünerek anlatıyor, Sılacığım dedi, bana artık Sılacığım diyor, ticaret zekası çok önemli. Ticaret zekâsı varsa para kazanmak çok kolay dedi. Aynen böyle söyledi. Memleketin durumu da hiç bu kadar iyi olmamış, öyle diyor.

Sigarasını söndürüp ciddileşti. "Fazıl," dedi, önemli bir şey söyleyeceği zaman konuşmaya "Fazıl" diyerek başladığını öğrenmiştim.

– Pasaportumu da aldım, gidelim buradan... Bu Yakuplar bizi burada yaşatmaz.

Sesimi çıkarmadım, o devam etti:

– Hakan'ın üniversitesinde burs da bulabiliriz. Yurtta çiftler için daha büyük bölümler de varmış. Hem okuruz hem çalışırız.

Belki de sen orada asistan olur, üniversitede kalırsın. Köylülerinle, tanrılarını da götürürüz.

– Bilmem ki... Annem ne olacak?

– Daha sonra belki o da gelir. Hem zaten anneni burada da görmüyorsun. Oradan da telefon edebilirsin.

Sustum, düşünüyordum. Dönüp bana baktı:

– Birlikte gidiyoruz diye birlikte yaşamak zorunda değiliz, dedi. İstersen ayrı daireler tutarız. Kendini herhangi bir şeye mecbur hissetme.

– Niye böyle bir şey söylüyorsun?

– Ne bileyim, çok istekli gözükmüyorsun, belki aklına takılan budur.

Onu bileklerinden yatağa bastırdım.

– Ben saçmalıyorum de.

– Fazıl...

– Ben saçmalıyorum de.

– Fazıl...

– Ben saçmalıyorum de.

– Ben saçmalıyorum.

– Saçmalıyorsun gerçekten. Böyle şeyler nereden aklına geliyor?

– Ne bileyim... Ne hâlde olduğumuzu görüyorsun, olanları görüyorsun ama gitmekte isteksizsin.

– Düşünüyorum çünkü... Parayı düşünüyorum, annemi düşünüyorum, okulu düşünüyorum. Nasıl halledebileceğimizi düşünüyorum.

– Ben bıktım, dedi kararlı bir sesle, ben gideceğim. Sen düşün. Gelmek istersen birlikte gideriz. Ama ben artık buraya, sürekli korkmaya, başımıza ne gelecek diye endişelenmeye dayanamıyorum. Korkmaktan yoruldum ben.

Ayrılırken küskün bir hali vardı, "düşün" dedi sadece. "Düşüneceğim" dedim. Aslında haklıydı, ben de yorulmaya başlamıştım, eskisi gibi zengin bir hayatım asla olmayacaktı ama bir yazıyı düzeltirken korkudan ellerimin terlemeyeceği bir hayatı ben de özlüyordum. "Şafak" vaktinin "baskın" vakti olmadığı bir yerin vaat ettiği huzur bana da çok çekici geliyordu ama karar veremiyordum. Karar vermek zorunda kalacağım zamanın yaklaştığının da farkındaydım. Ama karar veremiyordum.

Bir keresinde Hayat Hanım, "ben büyük kararlar vermiyorum," demişti, "sadece küçük kararlar veriyorum. Beni küçük kararlar mutlu ediyor." "Herkesin büyük bir karar vermesi gereken bir zaman gelir," demiştim. "Evet," demişti, "dileyelim de bizim için öyle bir zaman gelmesin."

Sıla'yı bıraktıktan sonra odama döndüm. Balkona çıktım. Sokağa baktım. O eski kalabalık kaybolmuştu. Sokak her gün biraz daha tenhalaşıyordu. İnsanlar evlerine çekiliyorlardı. Lokantalar yarı yarıya boştu.

Ertesi gün okula gittim, kantin çok kalabalıktı. Nermin Hanım, tebasını ziyaret eden bir kraliçe gibi kantine çay içmeye gelmişti. Bazen gelirdi. Bütün öğrenciler çevresine toplanmıştı. Onunla sınıfın dışında konuşmak herkeste bir ayrıcalık yaşadığı duygusu uyandırıyordu. Güzel bir kadın olmamasına rağmen ışıltılı bir şımarıklığı, zaman zaman kibre dönüşen bir özgüveni vardı. Zekâsıyla herkesi etkileyebileceğine emindi ve zekâsıyla herkesi etkiliyordu. Öyle yukardan, öylesine emin ve öylesine etkileyici anlatıyordu ki insan edebiyatın, Nermin Hanım onun hakkında konuşabilsin diye varlığını sürdürdüğüne inanıyordu. Sanırım bütün erkek öğrenciler onunla ilgili fanteziler yaşıyordu ve o bu fantezileri erişilmez bir uzaklıktan kışkırtmaktan hoşlanıyordu.

Ben içeri girdiğimde, duyamadığım bir espriye hep birlikte gülüyorlardı. Tam o sırada kalabalık dalgalandı, bir çocuk "polisler geldi" diye koşarak içeri girdi. Nermin Hanım, çirkin bir şey görmüş gibi yüzünü buruşturdu. Ayağa kalktı. "Gidip bir bakalım," dedi.

En önde kırmızı ayakkabılarıyla Nermin Hanım, arkasında öğrenciler, hep birlikte bahçeye çıktık. Bahçede iki polis otobüsü duruyordu. Polisler aşağıya inmişlerdi. Diğer binalardaki öğrenciler de bahçede toplanmışlardı. Saflar hâlinde Nermin Hanım'ın arkasına sıralanmıştık. Polislerin önündeki eli telsizli görevliye "ne oluyor polis bey," dedi. Hayatında ilk kez bir polisle konuştuğu anlaşılıyordu.

– Siz kimsiniz, dedi polislerin amiri.

– Edebiyat profesörüyüm.

Adam baştan aşağıya süzdü Nermin Hanım'ı, kırmızı pabuçlarına uzun uzun baktı.

– Profesör ha?

– Ne oluyor polis bey, dedi Nermin Hanım tekrar.

– İhbar var. Bir grup öğrenci pankart açmış, onları alacağız.

Öğrenci kalabalığından "yuh" diye bir ses yükseldi. Polisler de saflar hâlinde dizilmişlerdi. İki ordu gibi karşı karşıya duruyorduk. Saldırmadan önce eşinen bizon sürüleri gibi ayaklarımızı yere vuruyorduk.

– Üniversiteye girmek için izin belgeniz var mı?

Adam "çattık" der gibi başını iki yana salladı.

– İzne gerek yok, ihbar var.

– Giremezsiniz...

– Hoca Hanım görevimi yapmama engel olmayın... Sizin için de işlem yapmak zorunda bırakmayın beni.

– Sizin göreviniz çocukları götürmekse benim görevim de onları korumak... Giremezsiniz.

Öğrencilerle polisler itişmeye başlamıştı. Biz polislerden daha kalabalıktık. Nermin Hanım'ın varlığı herkesin cesaretini artırıyordu. Polis şefinin olayın arbedeye dönmesinden çekindiğini anlamıştık, ayrıca Nermin Hanım'ın tavrı onu korkutmuştu. Kimin kim olduğu belli değildi, bu kadar güvenle polise karşı çıktığına göre "yukarılarda" bir tanıdığı ya da akrabası olabilirdi. Sıradan bir hocanın kendisine karşı çıkamayacağını düşünüyordu.

Son bir kere daha şansını denedi.

– Üstünde suç olan ibarelerin bulunduğu pankart açmışlar. Suçluları korumayın.

– Kimin suçlu olduğuna siz karar veremezsiniz. Burası üniversite. Biz burada çocukları fikirlerini özgürce söylesinler diye yetiştiriyoruz.

– Hoca Hanım işimi zorlaştırıyorsunuz.

– Siz de benim işimi zorlaştırıyorsunuz. Şimdi lütfen gidin de çocuklar derslere girsinler.

Sonunda polis şefi, adamlarına otobüslere binmelerini söyledi. Otobüsler giderken bütün kampüs ıslıklarla, yuhalarla, kahkahalarla, çığlıklarla inliyordu. Nermin Hanım, arkasını dönüp yürürken kalabalık büyük bir hayranlıkla ona yol açıyordu. Bir çocuk Nermin Hanım önünden geçerken, "Ave Sezar" diye bağırdı. "Ave Sezar" bağırışı dalga dalga yayıldı, bütün kampüs Sezarlarını selamlayan öğrencilerin haykırışlarıyla inliyordu. Üniversite yöneticileri nedense ortaya çıkmamışlardı. Nermin Hanım, kendinden memnun bir gülümsemeyle "kesin soytarılığı" deyip binalardan birine girdi. O gitti ama öğrenciler yatışmıyordu, kazanılan büyük zaferi kutluyorlardı. Ben de onlarla birlikte bağırıyordum ama içten içe bu zaferi Nermin Hanım'a ödeteceklerini de biliyordum, onun için endişeleniyordum. Polisler gene geleceklerdi.

Çocuklar olup bitenlerin benim kadar farkında değillerdi. Ben dergiyi okuduğum için neler olduğunu biliyordum. Derginin "tutanaklardan" diye bir bölümü vardı, mahkeme tutanaklarından parçalar yayınlıyorlardı.

Bir avukat, "mahkemede haklı çıkmaya çalıştığı" gerekçesiyle tutuklanmıştı. Bir işadamı, dokuz aydır tutukluydu ama niye tutuklu olduğunu ne ona ne avukatlarına söylüyorlardı, "gizlilik kararı var" diyorlardı. Bir yazar, yazılarıyla "soyut bir tehlike yarattığı" gerekçesiyle müebbet hapse mahkûm edilmişti.

İnsanlar, bu olanları tepki göstermeden izliyordu.

Çağdaş İngiliz Şiiri dersinde okuduğumuz Auden'in dediği gibi: *"Garip bir şey/ görmüş olmalıydılar, gökten düşen bir çocuk, mesela/ Ama gidecekleri bir yer vardı ve sakince yelken açacakları bir denizleri."*

Gökten düşen çocuğa bakıp sakince yelken açacakları denizlerine dönüyorlardı.

Düşen çocuğu ben de görmüştüm ama sakince yelken açacağım denizlere artık dönemiyordum, düşen çocuğun görüntüsü beni terketmiyordu, içime yerleşmiş, hayatımın bir parçası olmuştu.

Yaşadıklarım, gördüklerim, öğrendiklerim bazen o kadar ağır bir yük haline geliyordu ki ihtiyar bir adam gibi yorgun hissediyordum kendimi. Ne insanların yaptıklarını ne toplumun sessizliğini kavrayabiliyordum, yaşananları tam olarak anlayamıyordum. Bu, kimi zaman hastalandığımı düşündürecek kadar bitkinleştiriyordu beni. O zaman kütüphaneye gidip romanlar okuyordum. Okurken dünyanın ışığı değişiyordu, insan‌l duru bir berraklığa kavuşuyordu, kimse beni seyrede‌ dokunamadan dünyayı seyredip, romanların içinde‌_ dokunabiliyordum. Kendimi güvende ve güçlü hissediyordum, böyle hissetmek beni iyileştiriyordu. Yaşam geçici, bu nedenle de yapay gözükürken, romanlar kalıcı ve sahici gözüküyordu. Her kitapla birlikte yaşadığım çağ, bulunduğum yer, daha da önemlisi kimliğim değişiyor, bunaltıcı bir esaret duygusundan sıyrılıp hiç kimsenin sınır koyamadığı bir özgürlüğe kavuşuyordum.

Ne yazık ki bu duygu kalıcı olmuyordu, romanları bitirince yeniden yapay ve kapalı bir dünyaya, anlayamadığım insanların arasına dönüyordum. Anlayamadığım insanların arasında ben de vardım. Duygularımı tarif edemiyordum, düşüncelerimi yakalayamıyordum. Çünkü düşüncelerimin tek ve yalnız olmadığını, her düşüncenin yanında ona benzemeyen başka bir "gerçek düşünce" daha olduğunu keşfetmiştim. Bir şey düşünürken aslında bir başka şey daha düşünüyor, kendi kendimi kandırıyordum. Bazen kendime ihanet ediyordum ve galiba bunu görmek istemiyordum, öbür insanları anlamadığım gibi kendimi anlamamayı da tercih ediyordum. Kendimi anlamak yerine başkalarını anlamak daha güvenliydi ama bunu da kitapların dışında beceremiyordum.

Bir keresinde, konu oraya nereden geldi hatırlamıyorum ama Hayat Hanım'a "ben insanları anlayamıyorum, aklım buna yetmiyor" demiştim.

O alaycı gülümseyişiyle gülümsemişti.

– Hiçbir atom hiçbir atoma değmiyor, demişti.

Benim "cehaletimle" eğlenmek için mahsus böyle yapıyor, söze anlaşılmayacak bir cümleyle başlıyordu. Bu, onu eğlendirdiği kadar beni de eğlendiriyordu, biraz sonra daha önce hiç duymadığım bir şey anlatacağını ve onu hiç tahmin edemeyeceğim bir yere bağlayacağını biliyordum.

– Hiçbir madde başka bir maddeye temas edemiyormuş, geçen gün bir belgeselde izledim, bizim birbirine değdiğini sandığımız maddelerin arasında bile, söylediği ölçüyü tam duyamadım ama bilmem neyin milyarda biri kadar bir mesafe kalıyormuş, iki atom birbirine değerse patlarmış çünkü...

Yüzümdeki ifadeden aklıma geleni anlayıp güldü.

– O anda bile birbirimize tam değemiyoruz, dedi, sen beni becerirken bile aramızda bir mesafe kalıyor. Ben de biz sevişirken niye dünya infilak etmiyor diye merak ediyordum, meğer birbirimize değemediğimizden havaya uçmuyormuşuz.

– Gerçekten mi?

– Havaya uçmadığımız mı?

– Kimsenin kimseye değmediği...

Ciddileşti.

– Gerçekten... Yeryüzünde hiçbir şey birbirine değmiyor, hiçbir insan bir diğerine dokunamıyor.

– Bunu hiç duymamıştım.

– Ben de ilk defa duydum... Kimsenin kimseye dokunamadığı bir yerde bir insan bir insanı nasıl anlasın bu mümkün değil. Canını sıkma onun için, anlamayan sadece sen değilsin, hiçbir insan bir diğerini anlamıyor.

– Ama yazarlar insanları anlıyorlar, anlatıyorlar...

– Ay, aman, ne anlayacaklar, sen de yaz sen de anlat, kim itiraz edecek ki, gerçeği kimse bilmiyor zaten.

– Ama edebiyat beni iyileştiriyor.

– Belki de hasta olmadığındandır.

– Ama seni anlamak istiyorum.

– Ben de anlaşılacak bir şey yok, ne görüyorsan o işte.

– Ya görmediklerim?

– Merak etmezsen onda da anlaşılması gereken bir yer kalmaz.

Sonra her zaman yaptığı gibi tartışmayı kesip sözü değiştirivermişti. Tartışmayı sevmiyordu. Sıla ise tam onun aksiydi, her konuyu uzun uzun tartışmayı seviyor, bundan zevk alıyordu. O günlerde Sıla daha önce hiç yapmadığı bir şey yapmış, "bu gece sende kalmamı ister misin" demişti, çok şaşırmıştım, "bende mi?", "evet, ama rahatsız olacaksan, önemli değil," "hayır, niye rahatsız olayım, isterim tabii. Annenler ne diyecek?" "Onlara bir arkadaşımda kalacağımı söylerim."

Annesine telefon edip konuşmuş sonra da bana "tamam" demişti. Bakkaldan üçgen peynir, cips, iki kutu bira, bir paket de çikolata almıştım. Yağmur çiseliyordu, insanda sıcak bir oda özlemi yaratan bir ayaz vardı. Oda sıcaktı, balkon kapısının pencerelerinden damlalar süzülüyordu. Odanın ışığını yakmadık, her zaman yaptığımız gibi banyonun ışığını yakıp kapısını aralık bıraktık. "Yemeği" sehpanın üstüne yerleştirdik. Sıla ayakkabılarıyla pantolonunu çıkarıp yatağın üstüne oturdu. Gömleğiyle kazağını çıkarmamıştı. Görünüşündeki tuhaflık çok garip bir mahremiyet ve çekicilik yaratıyordu. Her an sevişecek gibi değildik ama her an sevişebilirdik de, acele etmemiz gereken bir han odasında değil, hiçbir telaşımızın olmadığı kendi evimizdeydik, o görüntü bende bu duyguyu uyandırıyor, bu da beni heyecanlandırıyordu. Galiba o da aynı evde yaşamanın nasıl bir şey olduğunu bana, belki de kendisine, belki de ikimize birden göstermek istiyordu.

Yemeğimizi yerken yağmur hızlandı, camlara vuran yağmurun, ben yalnızken çıkardığı sesle, Sıla varken çıkardığı ses farklıydı, şimdi dostça, huzurlu bir tıpırtısı vardı. İnsan yağmurun yağdığına seviniyordu.

Sıla camlara bakıp "geçen gün televizyonda Ingmar Bergman'ın *Güz Sonatı* filmini seyrettim," dedi, "daha önce görmemiştim."

Ben o filmi göreli çok olmuştu, "bir kelebek pencereye vurup duruyor," diye bir cümle hatırlıyordum, nedense o cümle beni etkilemişti. Sıla'nın aklı ise, ünlü bir piyanist olan annenin Chopin'in bir prelüdü hakkında söylediği söze takılmıştı, kadın, "bazı parçaları kötü çalmak gerekir," demişti. Bir romanda da bazı parçaları kötü yazmak gerekir mi diye tartışmaya başladık. Yemeğimizi bitirmiştik, ben de ayakkabılarımı çıkarıp, yatağa, Sıla'nın yanına oturdum, sırtımızı duvara dayamıştık, bacağı bacağıma değiyordu.

O, her parçanın mümkün olan en iyi şekilde yazılmasının, anlatılmak istenenin en etkili biçimde anlatılmasını sağlayacağını söylüyordu, ben bazen kötü yazılmış bir parçanın etkiyi daha da artırabileceğini savunuyordum.

– Bir yazar isteyerek kötü yazamaz, bu mümkün değil.

– İçgüdüsel olarak öyle yazabilir... Sezgileri onu öyle bir anlatıma sürükleyebilir.

Münazara yapan iki öğrenci gibi tartıştığımızın farkındaydık ama bundan rahatsız olmuyor, aksine büyük bir zevk alıyorduk. İkimiz de edebiyat sevgisinin bizi birleştirdiğini biliyorduk, aradaki fikir ayrılığı bu birlikteliği daha da güçlendiriyordu.

– Niye üstünü çıkarmıyorsun, dedi. Böyle rahatsız olmuyor musun?

Pantalonumu ve çoraplarımı çıkardım. Çıplak ayaklarımız dört küçük kukla gibi yan yana duruyordu, ayağını ayağıma dayadı.

– Dostoyevski'yi örnek alalım, dedi.

İkimiz de Dostoyevski'nin muazzam romanları çok kötü yazdığı konusunda hemfikirdik. O, daha iyi yazsaydı, daha da etkili olurdu, diyordu, ben de insan ruhundaki karmaşayı o kötü anlatımın daha belirginleştirdiğini söylüyordum. Kazağını çıkardı, gömleğinden göğsünün üst kısmı gözüküyordu. Tartışıyor, arada öpüşüyorduk. Yağmur sağanağa çevirmişti, sesini duyuyorduk, öpüşürken ses kayboluyordu.

Çok sakin, birbirimizin canını yakmadan, alıştıklarımızın hiçbirini yapmadan, telaşsız ve çok mutlu seviştik. Bir acelemiz yoktu, evimizdeydik. Her şey tatlı bir ahenk içindeydi. Durduğumuzda, Sıla çikolata paketini açıp yemeye başladı, ben "lavanta tarlaları gibi" diye düşündüm. Bazen babamla sabahın erken saatlerinde at binerdik, at binmeyi bana babam öğretmişti, "ayaklarını üzengiye koy, topuklarını aşağıya bastır, dizlerinle hayvanın böğrünü sık, sırtını dik tut," lavanta tarlalarının arasından geçerdik, rüzgârla lavantalar hep birlikte bir yana doğru eğilir sonra hep birlikte doğrulurlardı, uyum içinde ahenkle dalgalanırlardı, babam aslında çiftçilik yapmayı sevmezdi, tarih kitapları okumayı, at binmeyi severdi, bir keresinde ona "niye bu işi yapıyorsun" demiştim, "gelenekler oğlum" demişti, "bizi var eden ve mahveden gelenekler," işini sevmeyen insanlarda görülen bir ataklıkla, annemin uyarısına rağmen, bütün servetini tek bir ürüne yatırmış, ölmüştü, ölüm hayattan daha basit ve daha anlaşılmazdı, lavanta kokan rüzgârların ortasında çok görkemli gözükürdü atının üstünde, ölecek birine benzemiyordu, kimse ölecek birine benzemiyordu, bir keresinde Hayat Hanım'la şimdi hepsi ölmüş olan eski film yıldızlarına dair siyah beyaz bir belgesel seyretmiştik, hepsi çok neşeliydi, elimde olmadan "gülüyorlar" demiştim, "ölü olduklarını bilmiyorlar çünkü" demişti Hayat Hanım, kimse kimseye değmiyordu, bütün ölüleri bir arada gömüyorlardı, ölüm bir klişeydi, yusufçukların sevişmesi aşkın sembolüne dönüşüyordu, sevişmenin aşka dönüşmesi klişeydi, benim bunu Hayat Hanım'dan öğrenmem tesadüftü, Hayat Hanım hayatla olduğu gibi ölümle de oyun oynuyordu...

– Ne düşünüyorsun, dedi Sıla.

– Hiç, dedim.

– Bazen kötü sevişmek gerekir mi acaba?

– Bilmem, kötü müydü?

– Hayır, çok güzeldi. Öylesine söyledim.

Sağanak sürüyordu, yeniden sevişmeye başladığımızda yağmurun sesi kayboldu. Sabaha karşı huzurlu bir yorgunlukla uykuya daldık. Derin bir uykuya daldığım sırada onun kasıklarımda dolaşan eliyle uyandım, "uyuyor musun?" "hayır," "beni günün her saatinde düzebilir misin?" "evet." Ona doğru döndüm.

Gün ağarıyordu.

– Sabah oluyor, dedi, artık uyumayalım, hadi gidip deniz kıyısında kahvaltı edelim.

Nemli ve mat bir grilikle sabah başlıyordu, yollar bomboştu, yeni açılan bir börekçiden sıcak börekler aldık, deniz kıyısında bir kahve bulduk. Henüz uyanamamış gibi görünen uykulu bir garson çay getirdi. Böreklerimizi yemeye başladık, ısırınca çıtırdıyorlardı.

Karşı karşıya oturuyorduk. Gözlerinin altı yorgunluktan gölgelenmiş, yüzü incelmişti, olağanüstü güzeldi, sanki yüzünü ilk defa o anda görüyormuşum gibi güzelliğine inanamayarak baktım.

– Mutlu musun, dedi.

– Evet, dedim.

– Okul için ne zaman başvuracaksın?

– Seni evine bırakır bırakmaz, bugün hemen başvuracağım.

Gülümsedi.

– İyi.

Yavaşça elimi okşadı. O bana dokununca lavanta tarlalarını görüyordum.

Onu evine bıraktım.

Yalan bir klişeydi, benim yalan söylemem bir tesadüftü, bütün yalanların bir bedeli olması başka bir klişeydi, benim bu bedeli yakında çok ağır biçimde ödeyeceğimi hissetmem tesadüftü.

Tanrı da bazı parçaları kötü çalıyor olabilirdi, bu onun etkisini artırıyordu.

Çok yorgundum. Hana dönüp uyudum. Akşam televizyonda program vardı.

XI

O, kendisi gibiydi ve başka hiç kimseye benzemiyordu. Ne zaman ne yapacağını kestirmek benim için imkânsızdı. Böyle bir günün geleceğini seziyordum ama gene de hazırlıksız yakalandım. Neyin yaklaştığını anlayamamıştım bile, anlamam da mümkün değildi. Harika bir yemek hazırlamıştı. Sofranın görüntüsü olağanüstüydü, "son yemek" tablolarını andırıyordu. Kehribar rengi ışık bütün salonu kaplamıştı, mimozalar vazolara yerleştirilmişti. Altın kızılı saçları parlıyordu. Yemek yerken bir ara "biz senle, Polonya ovalarında yaban atı olmalıydık," demişti, "Polonya'daki at sürülerini genç bir aygırla yaşlı bir kısrak birlikte yönetir. Orada mutlu olurduk..." Kırmızı şarap içmiştik.

Yemekten sonra duman rengi dantelden kısa bir gecelik giymiş, daha önce yapmadığı bir şey yapıp benim için oynamıştı, oynarken memeleri, karnı, kasıkları, kalçaları açılıyordu. Ben yerimden kalkmak istedikçe gülümseyerek beni hafifçe itip yerime oturtuyordu.

Çok uzun, eşsiz bir gece olmuştu. Sadece kendisinin bildiği bir büyüyle dünyanın benim tanıdığım, değdiğim, gördüğüm, anladığım gerçeklerini bir tül perde gibi kaldırıp her zamanki gibi beni de kendisiyle birlikte başka bir gerçeklik âlemine geçirmişti.

Sabahleyin zengin bir kahvaltı sofrasıyla karşılaşmıştım.

Kahvaltıda, bir dilim peynir almak için çatalını uzatırken, yüzüme bakmadan "seni o kızla gördüm," dedi. Bir an gerçekten ne dediğini anlamadan, sadece bütün hayatımı değiştirebilecek bir şey söylediğini sezerek, "hangi kızla" dedim.

– Televizyonda yanında oturan bir kız vardı ya, onunla...

– Nerede gördün?

– Arabayla yanımdan geçtiniz.

Onun arabasında başka bir kadınla yanından geçmiştim. İlk hissettiğim, dehşetten de önce utançtı. Ancak yüzüme vurulduğunda görebildiğim bencil çıkarcılığımdan utanmıştım ama ihanetin yaratacağı sonuçlardan duyduğum korku o utancın üstünü kapattı.

– Ha, evet, dedim, Sıla.

– Adı Sıla mı?

– Evet.

– Sık sık görüşüyor musunuz?

– Bazen... O da edebiyat öğrencisi.

– Ortak çok konularınız olmalı.

Ne yapacağımı, ne söyleyeceğimi bilemeden bileği kırık bir hayvan gibi kıvranıyordum. Sürekli bir ilişki olmadığını anlatabilmek için "o buradan gitmek istiyor," dedim, "yakında Kanada'ya gidecek."

Ondan daha önce de duyduğum, vurgusuz, dümdüz bir sesle:
– Sen de gel demedi mi, dedi.
– Sen de gel demedi de, buralarda gelecek yok, sen niye kalıyorsun dedi ama öyle ciddi bir konuşma değildi.
Bir an düşündü, sonra aynı sesle devam etti:
– Haklı aslında, buralarda gençler için pek gelecek yok. Gitmeyi düşünüyor musun?
– Bilmiyorum. Gitmek öyle kolay değil, okul var. Sonra para sorunu ne olacak, nasıl gideceğim.
– Para meseleleri hallolur. Bir çözüm bulunur. Git bence o kızla. Orada kendinize daha iyi bir hayat kurabilirsiniz.
Kızmıyor, hesap sormuyor, en korkuncunu, en dayanılmaz olanı yapıp kendini çekiyor, benimle arasında hiçbir özel bağ yokmuş gibi davranıyor, beni hayatının dışında bırakıyordu. Her türlü kızgınlıktan daha yaralayıcı olan bir sükûnetle yapıyordu bunu.
– Bilmiyorum, dedim.
– Bence biliyorsun.
Sesinde küskünlüğe benzer tek kırılmayı orada hissettim. Başka bir şey konuşmadık bu konuda. Giyindim. Çıkarken arabanın anahtarını masanın üstüne bıraktım. Bıraktığımı gördü ama sesini çıkarmadı.
Evden çıktığımda kendimi yapayalnız hissettim, garip bir kızgınlık da vardı içimde, sanki aldatan ben değildim de biri beni aldatmış, hiç beklemediğim anda beni terk etmişti. Geri dönmek istiyordum ama döndüğümde, asla üstünden aşamayacağım bir gülümsemenin beni karşılayacağını biliyordum. Ona ulaşamayacaktım. Onu kaybetmiştim.
Onun hakkında hiçbir şey bilmediğimi fark etmek yalnızlığımı artırdı birden. Nerede doğduğunu, ailesinin kim olduğunu,

neler yaşadığını, akrabaları olup olmadığını bilmiyordum. Kendisiyle ilgili hiçbir soruma yanıt vermemiş, "benim hayatımda ilgi çekici bir yan yok" diye geçiştirmiş, daha ısrarlı sorular sorduğumda alay etmişti.

Bir keresinde "hiç evlendin mi" diye sormuştum.

– İki üç kere, demişti gülerek.

– İnsan iki üç kere evlenmez, demiştim, iki kere evlenir, üç kere evlenir ama iki üç kere evlenmez.

– Üç olsun o zaman, demişti.

Gerçekten hiç evlenmiş miydi onu bile bilmiyordum. Bir keresinde de et alırken kasaba babasının "kasap olduğunu" söylemişti, çiçekçiye de babasının "çiçekçi olduğunu" söyleyince şaşırmıştım.

– Babam kasap demiştin.

– Ne zaman dedim?

– Et alırken...

"Aman uydurmuşum," diye omuzlarını silkmişti. Sanki geçmişi hiç ilgisini çekmiyordu, bir macun parçası gibi onu biçimden biçime sokup eğleniyor, geçmişi kendi ilgisini çekmediği için başkalarının da ilgisini çekmemesi gerektiğine inanıyordu. Geçmişiyle ilgili tek bildiğim gerçek, televizyonda gördüğüm o adamdı. Bu bilgi de yalnızlığımı artırmaktan başka bir işe yaramıyordu. Niye öyle bir adamla birlikte olmuştu? Benden sonra yeniden öyle bir adamla olacak mıydı? Öyle bir adamın kaba konuşmalarını dinleyip, kaba şakalarına gülecek miydi? Adam ona kötü davranacak mıydı? Onu öyle adamlardan korumak istiyordum ama bunu ona söylesem güleceğini biliyordum, "ben kendimi korurum Antonius," diyecekti, "sen Roma'ya mukayyet ol."

Hayat Hanım'ı bir daha görmeyeceğime inanmıştım. Arka arkaya iki programa gelmemesi bu inancımı güçlendirmişti. Ne yapacağımı bilemiyordum. Bir keresinde bana, "biliyor musun" demişti, "her galaksinin merkezinde bir kara delik var, galaksiler bu kara deliklerin çevresinde oluşuyor, zamanla da o kara deliklerde kayboluyorlar." Sonra da, arada bir ortaya çıkıp beni şaşırtan bilge bir sesle, "insanlarda da böyle bir kara delik olabileceğini düşünüyorum bazen," demişti, "hepimiz bir gün kendi kara deliklerimizde kayboluyoruz." Hissettiğim özlem ve keder beni şaşırtıyordu.

O günlerde özlem beni acıyla sarstıkça belki tam bu kelimelerle değil ama buna benzer kelimelerden oluşmuş kopuk kopuk düşüncelerle Hayat Hanım'ı değil onunla olan ilişkimi özlediğimi, zamanımın büyük kısmını dolduran ilişki bitince aniden ortaya çıkan boşluğu özlem sandığımı, değişen şartların yarattığı şaşkınlığı ise keder olarak hissettiğimi, bunların hiçbirinin gerçek duygular olmadığını tekrarlıyordum kendime. Bütün bunlar, Hayat Hanım'ın aslında özlenecek ya da yokluğunda keder duyulacak biri olmadığı görüşüne dayanıyordu. Acıdan kurtulmak için kendi gözümde alçalmaya razı oluyordum. Bunu defalarca yaptım.

Aradan bunca zaman geçtikten sonra bugün artık onun gülüşünü, hayatı anlık arzulara göre yaşayan insanlarda görülen o sarsılmaz iyimserliğini, aldırmazlığını, şefkatli alaycılığını, ölümü ve hayatı küçümseyişini, o muhteşem sevişmelerini, altın kızılı saçlarını sallayışını kendimi kandırmaya çalışmadan özlemle hatırlıyorum. Onun hayatım boyunca rastladığım en olağanüstü, en etkileyici insan olduğu gerçeğiyle barıştım. Ona hayran olurken, ona bağlanırken bir yandan da ondan, yarattığı duygulardan korkup kaçmaya, onu küçümsemeye çalışmanın anlamsızlığını gördüm. Neyin doğru neyin yanlış olduğuna karar vermek isteyen düşüncelerin, o düşüncelere hiç aldırmayan duyguları yenemeyeceğini biliyorum. İnsanın kendi içinde böyle bir savaşa girmesinin getirdiği büyük yenilgiyi, büyük yıkımı yaşadım, silahlarımı bırakıp kendime teslim oldum. Kendime derken duygularıma demek istediğimin farkındayım. Sadece kendimle ilgili değil gördüklerim. Daha önce hiç aklıma gelmeyen bir şeyi de onun mektubunu defalarca okurken gördüm. O da benden kaçmaya çalışmıştı, o gizemli kayboluşların çaresiz bir kaçış çabası olduğuna inanıyorum artık. Belki de benim yaşımdaki birinin geleceğini belirlemeye hakkı olmadığını düşündü. Beni sakınmaya çalışırken beni yaralayabileceği aklına gelmemiş olmalı.

Hayat Hanım ortadan kaybolduğunda bir iki kez Sıla'yı aramıştım ama onun da işleri vardı.

– Kanada'daki üniversite için form doldurdun mu, diye sormuştu.

– Daha doldurmadım, demiştim.

– İyi o zaman, demişti.

Üçüncü programda bal rengi tuvaletiyle oradaydı. Alev almış altını andıran o tanıdığım ışığın içinde oynuyordu. Duyduğum sevinçten başım dönmüştü.

Ara olduğunda yanıma gelip "kaybolma da yemek yiyelim" demişti. Nasıl bu kadar sakin olabiliyordu, anlamıyordum. Bu sükûnet beni yaralıyordu.

Programdan sonra gidip heykellerin arasında yemek yedik. Neşeliydi. Hiçbir şey olmamış gibi davranıyorduk ama bir şey olmuştu, onu ikimiz de biliyorduk.

Onun ilgisini çekmek, endişelendirmek, beni bırakmasını engellemek için Şair'in dergisinden ve o dergideki yazıların redaksiyonunu yaptığımdan söz ettim. Bu bir hataydı. Tahminimden fazla endişelenmiş ve tahminimden çok farklı bir tepki vermişti.

– Tehlikeli işlere bulaşıyorsun, buralardan bir an önce gitsen iyi olacak Antonius. O kızla Kanada'ya git, o iyi bir kıza benziyor. Burada başına bir iş gelecek. Bir de hapislere girersen hiç dayanamam.

Onu yatıştırmaya uğraşmıştım, "bir şey olmaz," demiştim, "tehlikeli bir iş yapmıyorum."

– Onun için mi o çocuk kendini balkondan attı?

Buna verecek bir cevabım yoktu.

– Senin gitme vaktin geldi Antonius, inan bana.

– Gidersem beni hiç mi özlemeyeceksin?

Bir an dudaklarının titrediğini gördüğümü sandım.

– Özlerim, dedi.

Sonra yavaşça elime vurdu.

– Hadi yemeğini ye, hiçbir şey yemiyorsun.

Eve gittik. Kısa eteğini, topuklu terliklerini giydi. Her şey eskisi gibiydi. Seviştik, belgesel seyrettik, konuştuk. Her şey aynıydı ama beni kuşkulandırıp kederlendiren bir eksiklik hissediyor, o eksikliğin ne olduğunu bilmiyordum, gülümsemelerin arasında durgunlaşıveren yüzü mü, yataktan her zamankinden daha çabuk kalkması mı, eskisi kadar alaycı olmaması mı... Küçük değişikliklerdi bunlar. Büyük değişiklere, ilk başta fark edilmesi bile zor olan küçük değişimlerle gidildiğini hissediyordum. Limandan ayrılmak için küçük manevralarla son halatların da çekilmesine hazırlanan bir geminin görüntüsü beliriyordu zihnimde.

Havalar ısınmıştı. Ağaçlar çiçekleniyordu. Küçük şakacı bulutlar geçiyordu kentin üstünden. Serin bir deniz kokusu yayılıyordu. Ama bu neşe binaların duvarlarını aşıp sokaklara inemiyordu, sokakların soğuk, asık suratlı bir hali vardı, insanlar gülmüyorlardı. Geçen yıl bu vakitler kahkahalarla ve insanlarla dolu olan hanın önündeki sokakta artık tek tük insana rastlanıyordu, lokantaların kapılarında garsonlar ümitsizce müşteri bekliyordu. Hanın düzeni de bozulmuştu. Kiracılar mutfakta, birbirlerini buzdolabındaki yiyecekleri çalmakla suçlayarak kavga ediyorlardı. Semaverde artık her zaman çay suyu kaynamıyordu. Kiracılardan biri Gülsüm'ü bıçaklamıştı, hastaneye kaldırılmıştı. Bodyguard'la birlikte ziyaretine gitmiştik, bizi görünce ağlamıştı. Alt kattaki odalardan birinde oturan ince bıyıklı komi, Şair'in odasına taşınmıştı.

Hayat Hanım'la da Sıla'yla da görüşüyordum ama buluşmalarımız artık eskisi kadar sık olmuyordu. Kendilerini de beni de ağır ağır adını koymak istemediğim bir şeye hazırlıyorlarmış gibi davranıyorlardı. Sıla, Kanada'daki üniversitesiyle yazışmalarını sürdürüyordu, bütün belgelerini göndermiş, üniversitenin son kararını bekliyordu. Köylüleri görmeye gelmiyordu. Konuşmalarımızda bir donukluk vardı, eskisi kadar gülmüyorduk. Bana form doldurup doldurmadığımı da sormuyordu artık.

Bir gün onu almaya okuluna gittim. Birlikte yürürken yanımızda büyük bir araba durdu. Yakup kapıyı açıp "gelsenize" dedi. Sıla "teşekkür ederim, hava güzel biz yürüyeceğiz" dedi ama Yakup ısrar ediyordu. Öyle ısrarcıydı, bir noktadan sonra insan "hayır" demekten utanıyordu. Arabaya bindik. Sıla arkaya oturmuş, ben de fazla sıkışmayalım diye öne oturmuştum. Yakup'la Sıla yan yanaydı ben de şoförle öndeydim. Yakup parlak gri kumaştan bir takım elbise giymiş, sarı, mor, eflatun çiçekleri olan parlak kravatını gevşetmişti, ceketinin göğüs cebinden lahana yaprağı büyüklüğünde yeşil bir mendil sarkıyordu.

"Nasılsın Sılacığım" demişti Yakup, bana selam vermemişti.

– İyiyim, sen nasılsın?

– Çok iyiyim Sılacığım. Bir otoban işi aldık. Büyük iş. Çok büyük iş... Muammer abi nasıl? Hâlâ halde mi çalışıyor?

– Evet, dedi Sıla soğuk bir sesle.

– Söyledin değil mi bir ihtiyacı olursa bana gelmesini? Kartımı verdin mi?

– Verdim.

– Bir yardımımız olursa...

– Söyledim Yakup.

Sessizlik oldu.

– Hava çok güzel, dedi Yakup, deniz kenarında bir yerde yemek yiyelim mi? Yeni bir lokanta açılmış...

Sonra beni işaret edip, "isterse arkadaş da gelsin" dedi. "İsterse arkadaş da gelsin" lafını duyunca Sıla'yla birbirimize baktık. Aynı anda gülmeye başladık. Kendimizi tutmaya çalıştıkça daha fazla gülüyorduk, sinirlerimiz bu kadarına dayanamamış, birden boşanmıştı.

Yakup sinirlendi.

– Ne var bunda gülecek, dedi, neye gülüyorsunuz? Çok mu komik?

Sıla uzanıp şoförün omuzuna dokundu, "burada dur lütfen Yakup" dedi. Araba durdu. İnerken "iyi günler Yakup" dedi. Araba gitti ama biz gülmemize engel olamıyorduk.

– Ağır bir darbe oldu, dedim ama hâlâ gülüyordum.

– Hak etti, dedi Sıla.

Bana baktı, "köylüler ne yapıyor" dedi. "Seni özlediler," dedim.

"Hadi gidip bakalım," dedi, "hâlâ eğlenceye gidiyorlar mı?"

Odaya gidince, "bunlar da senin gibiler," dedi, "bir yere gittikleri yok."

Balkon kapılarını açarken "formu yolladım" dedim. Yalan söylüyordum ama o yalanı söylerken gerçekten de formu doldurup göndermeye karar vermiştim. Yalanla gerçek bazen çok süratli bir biçimde yer değiştirebiliyorlardı, onları izlemekte zorlanıyordum.

– Gerçekten mi?

– Gerçekten...

– Buna çok sevindim.

Onu ne kadar özlediğimi ona sarılırken fark ettim, bazen insanın duyguları kendisinden saklanıyordu. Onları hissediyor ama gerçekte ne kadar derin olduklarını her zaman ölçemiyorduk, sonra birden o derinliğe düşüyor ve şaşırıyorduk. Onunla ilgili duygular o yokken birikiyor, derinleşiyor ve onu gördüğümüzde ya da dokunduğumuzda o duygular kapılarını açıp bizi içine çekiyordu.

Sigarasını içerken "bütün belgelerini bir an önce tamamlayıp gönder ki sınavlar biter bitmez hemen gidelim," dedi.

Çoktandır olmadığı kadar neşeliydi.

– Kampüste sincaplar dolaşıyormuş, Hakan söyledi.

– Hemen yaparım, dedim.

Ama bunu söylerken balkon kapılarını açarken olduğum kadar emin değildim, bunun sesime yansımasını engellemeye uğraşıyordum. Bütün kararsızlığıma rağmen sonunda gideceğimi de biliyordum. Olayların nereye doğru aktığı açıkça görülüyordu ve benim buna karşı çıkacak gücüm yoktu.

– Para işini ne yapacağız, dedim.

– Ben Hakan'la konuştum, gidince bize biraz borç verecek, sonra ödeyeceğiz. Düşünsene yeniden sadece edebiyatla ilgilenebileceğiz, bu saçmalıklardan kurtulacağız.

Çok çekici bir hayaldi.

Elimi tutup sıktı.

– Bu zavallı köylüler de gerçekten bir yere gitmiş olacaklar, dura dura onlar da bunaldılar.

O güne dek ondan hiç duymadığım cilveli bir sesle "sabahları benimle uyanmak istemez misin," dedi. Onun böyle cilveli bir sesi olduğunu bilmiyordum, genellikle bu tür kadınsılığı küçümseyen bir hali vardı.

– Balkon kapısını kapatsana, dedi, hava serinledi.

Sigarasını bitirdikten sonra bir daha seviştik. Seviştikten sonra kulağıma eğilip "beni o kadar çabuk tanıdığından emin olma,"dedi.

Onu evine bıraktım. Hemen hana döndüm, Mümtaz düzelteceğim yazıları getirecekti ama o akşam kimse yazı getirmedi. Mutfağa inip bir çay içtim. Çayımı içerken ince bıyıklı komi girdi içeri, bana baktı, "birini mi bekliyorsun" dedi.

– Yoo, dedim, niye sordun?

– Birini bekliyormuş gibi bir hâlin var da...

– İşler nasıl, dedim.

– İyi, dedi.

– Nasıl iyi? Sokak bomboş, lokantalarda müşteri yok.

– Olan bize yetiyor.

Hiçbir neden yoktu ama ona vurmak, kemiklerini kırmak, yüzünü duvara sürtmek istiyordum. Deliriyorum herhalde diye düşündüm. Aceleyle çıktım mutfaktan.

Ertesi sabah Kaan Bey'in dersi vardı. Kendimi derse veremiyordum, bir ara söylediği isimler ilgimi çekti.

– Eğer D.H. Lawrence bir yazar değil de yeryüzündeki tek yayıncı olsaydı dünya Tolstoy'u asla okuyamazdı, çünkü Lawrence Tolstoy'u hiç beğenmiyor, hatta onu ahlak dışı buluyordu. Eğer Tolstoy tek yayıncı olsaydı dünya Dostoyevski'yi okuyamazdı çünkü Dostoyevski'yi beğenmiyordu... Dostoyevski tek yayıncı olsaydı dünya hiçbir yazarı okuyamazdı çünkü o hiç kimseyi beğenmiyordu. Gide tek yayıncı olsaydı Proust'u, Henry James tek yayıncı olsa Flaubert'i okuyamazdık...

Dersten sonra kütüphaneye gittim ama dikkatimi toplayamıyordum, o akşam program vardı, Hayat Hanım'ın gelip gelmeyeceğini merak ediyordum.

Programdan önce hana uğradım. Kapıma sıkıştırılmış küçük bir not neden yazıların gelmediğini açıklıyordu. Dergi kapatılmıştı. Artık yazı göndermeyeceklerdi. Notu kimin yazdığını bilmiyordum, imza yoktu.

O gece Hayat Hanım gelmedi.

Sahnede derin dekolteli, kısa etekli turkuaz rengi bir elbise giymiş bir kadın şarkı söylüyordu. Karnından memelerine doğru saldıran bir leopar deseni vardı elbisenin üstünde. Seyirciler arasında kederli bakışlı, sessiz kadınların sayısı biraz daha artmıştı. Tempoyla alkışlayıp oynamaya alışmakta zorluk çektikleri ama acemice çabaladıkları görülüyordu.

Arada sarışın kadın yanıma geldi.

– Sen arkada oturuyorsun ama kamera seni çok gösteriyor, dedi, ben de yanında oturayım, belki beni de çekerler.

– Tabii, buyrun, dedim, iyi bir şey mi sık sık gösterilmek?

Yanlışlıkla bu programı açan tanıdık biri beni görecek diye korktuğumdan bu kadının görülme isteğini bir türlü anlayamıyordum.

– İyi bir şey olmaz mı? Televizyonda görünüyorsun.

– Ne oluyor televizyonda görününce?

Kadın "ne aptalsın" gibi baktı yüzüme.

– Televizyonda görünüyorsun, diye tekrarladı.

Düşüncesini çok net bir şekilde açıkladığına olan güveniyle bakıyordu bana. Görünmek istiyordu, sekiz milyarlık bulanık bir kalabalığın arasından bir anlığına da olsa başını çıkartmak istiyordu. Sonra bir sır verecek gibi sokuldu, "bu programı durduracaklar diye bir söylenti var, sen duydun mu," dedi.

– Duymadım, dedim.

– Hayat Hanım bugün de gelmedi, dedi, nesi var?

– Bilmiyorum, dedim.

– Siz onunla dışarda görüşmüyor musunuz?

Cevap vermedim. Kadın, sessizliğimden hiç alınmadı.

– O bilir, dedi.

Gene sesimi çıkarmadım. Sessizliğimin intikamını almakta hiç gecikmedi.

– Remzi ona söylemiştir.

Yüzümdeki ifadeyi görmesin diye başımı önüme eğdim. Aradan sonra yanıma oturdu. Gerçekten de ikimizin yüzü ekrana yansıdı bir ara. Sevinçle kolumu dürttü "bak, ben sana söylemiştim."

Programdan sonra tek başıma sokaklarda yürüdüm. Kimsecikler yoktu. Hana yaklaşırken sopalı adamları gördüm. Çok neşeliydiler, birbirlerini sopalarıyla dürtüp gülüyorlardı. Beni görmesinler diye yan sokaklara sapıp yolu uzattım. Onları her gördüğümde derin bir öfkeye kapılıyordum artık. Yürümek yatıştırıyordu beni. Nereye gittiğimi unutmuştum. Düşünüyordum. Başımı kaldırdığımda, eskiden sahafların olduğu caddeye geldiğimi gördüm. Ama bina yoktu. Kaybolmuştu. Yerinde içi çamur dolu bir çukur duruyordu. Ben yıllarca buraya gelmiş, o toz ve kağıt kokuları arasında dolaşmış, sevdiğim birçok kitabı buradan almış, benden önce o kitapları okumuş olanların sayfalarda bıraktığı izlere bakarak onların kitapları okurken neler düşünmüş olduklarını bulmaya çalışmış, o izlerin yanına kendi izlerimi bırakmıştım.

Binayı yıkmışlardı, yaşlı sahaf yıkılacağını söylemişti ama gene de o binanın ortadan kaybolacağına demek ki inanmamıştım. Kendimi bir saldırıya uğramış gibi hissettim. Buralardan gitmeliyim diye düşündüm. Gizlice evime girmişler, eşyalarımı yakıp yıkmışlar, yıkılmış duvarlara gene geleceklerini söyleyen tehditkar sloganlar yazmışlardı. Hissettiğim buydu.

Kaldırıma oturdum. Yenilmiş, ordusunu kaybetmiş, bir kayalığın üstüne oturup düşman birliklerin kendisini bulup öldürmesini bekleyen bir komutan gibiydim, yenilginin ne olduğunu, yenilmenin ne olduğunu, yalnızlığın, ümitsizliğin, çaresizliğin ne olduğunu öğreniyordum. Sıla haklıydı, kurtulabilmek için kaçmalı, gitmeli, uzaklaşmalıydık.

Orada ne kadar oturduğumu bilmiyorum, kalktığımda sendeliyordum. Hana döndüm, bütün ışıklar sönmüştü, her zaman ışıkları yanan mutfak bile karanlıktı, semaver soğumuştu. Odama çıktım. Işığı yaktım. Balkon kapısını açtım. Gökyüzü berraktı, yıldızlıydı, hava bahar kokuyordu.

Köylülerim her şeyden habersiz eğlenceye gidiyordu. Mitoloji sözlüğünü alıp tanrılarla tanrıçalar ne yapıyorlar diye baktım. Âşık olduklarını kendileriyle olmaları ve sadık kalmaları için delirtiyorlardı. Kybele kıskandığı için Attis'i, Artemis intikam almak için Aura'yı delirtmişti. Sözlüğün arka arkaya iki sayfası pek çok deliyle, pek çok korkunç trajediyle doluydu. Ben de, beni Sıla'yla gördüğü günü unutması, benden yaşlı olduğu için bana gösterme hakkına bile sahip olmadığına inandığı kırgınlıktan kurtulması, benim için hissettiği endişeyi aklından çıkarması için Hayat Hanım'ı delirtirdim. Gücüm olsa bunu yapardım. "Seni o kızla gördüm" cümlesini silmenin yolunun bu olduğunu bilsem yapmaktan hiç çekinmezdim. Elbiselerimle, balkon kapılarını kapatmadan uyumuşum. Uyandığımda bütün vücudum ağrıyordu.

Okula gittim. Öğrenciler bahçede toplanmışlardı. Uğultuyu duyuyordum. Kötü bir şey olduğunu anlamıştım. Birini tutup "ne oluyor" diye sordum.

– Bu sabah Nermin Hanım'la Kaan Bey'i gözaltına almışlar.

– Niye?

– Bir bildiriye imza atmışlar. İmza atan elli hocayı da sabaha karşı toplayıp götürmüşler.

Kalabalığın arasına katılmadım. Sekreterliğe gidip gerekli belgeleri çıkarttırdım. Kantinden aldığım büyük zarfın içine koydum. Sıla'yı aradım. Bu işi onunla birlikte yapmak istiyordum. Postaneye gittik.

– Niye bunları taratıp e-mail olarak yollamıyoruz, dedi.

– Böylesi daha çok hoşuma gidiyor, dedim.

Dudağını büküp "tuhafsın" dedi. Mektubu yolladık.

– Nermin Hanım'la Kaan Bey'i gözaltına almışlar, dedim.

– Biliyorum, dedi, beş hoca da bizim okuldan götürmüşler. Tam zamanında gidiyoruz, burada yaşanmaz, gerçekten yaşanmaz.

– Çok üzüldüm, dedim, şimdi onlara orada kötü davranırlar. Hele Nermin Hanım'a...

Sahaflar pasajının yıkıldığını anlattım. "Yenilmenin ne olduğunu dün gece anladım" dedim, "hiç bu kadar yoğun biçimde hissetmemiştim yenilmişlik duygusunu."

– Gidince bunların hepsini unutacağız, dedi.

– Unutmak o kadar kolay değil.

Gerçekten çok üzüldüğümü anladı. Koluma girdi, "hadi evimize gidelim," dedi, daha önce benim odama hiç "evimiz" dememişti. Güldüm.

– Teselli sevişmesi mi, dedim.

– Teselli etmenin daha iyi bir yolu var mı? Biliyorsan söyle, onu yapayım.

Ona hissettiğim sevgiyi ve yakınlığı sezdiğini koluma bastıran parmak uçlarından anlıyordum. İnsanın her zaman sevinçle benimseyeceği bir yakınlıktı bu. Eğer zihnimin büyük kısmını kaplayan Hayat Hanım'ın görüntüleri olmasa kendimi mutlu bile hissedebilirdim.

– Sen hangi parfümü seviyorsun, dedim.

– Niye?

– Kanada'ya iner inmez sana o parfümü alacağım.

Akşam onu eve bıraktıktan sonra televizyona gittim.

Hayat Hanım gene yoktu.

XII

On gün boyunca gelmeyince daha önce hiç yapmadığım bir şey yapıp telefon ettim ama telefonu da kapalıydı. Ciğerlerimin karıncalanmasına neden olan mekanik bir ses "o numaraya ulaşılamadığını" söylüyordu. O sesle birlikte her şey madenîleşip anlamsızlaşıyordu. Daha fazla dayanamayıp azarlanmayı, aşağılanmayı, alay edilmeyi hatta orada karşılaşacaklarımla yaralanmayı da göze alıp evine gittim.

Kapıyı açtığında üstünde uzun, bol bir ev elbisesi vardı, düz terlikler giymişti, saçlarını toplayıp bir tokayla tutturmuştu, makyajsızdı, daha önce onu hiç makyajsız görmemiştim, nasıl, ne zaman yapıyordu bilmiyorum ama daima hafif bir makyajı olurdu, "gerçekler kadınların düşmanı Antonius" derdi, "biliyorsun savaşta hile mübahtır." Yüzü şeffaflaşmış, ince çizgiler keskinleşmişti, makyajının altından şaşırtıcı bir masumiyet çıkmıştı.

Gözleri yorgundu. Bakışlarındaki her zamanki muzip alaycılık kaybolmuştu.

Onu görmediğim günlerde, yalnızlığının içine çekilmiş olduğunu anladım ama bu sefer her zamanki kolaylığıyla yalnızlığın içinden çıkamadı, sanki yalnızlığın sınırında takılmıştı, ifadesinde bir yabancılık vardı, onu rahatsız ettiğimi düşünüp utandım birden.

– Merak ettim, dedim.

Yalnızlığından usulca sıyrılıp sakin bir sesle:

– Gel, dedi, otur.

Ev yeni havalandırılmıştı, aydınlıktı ama vazolar boştu. Çoktandır evden çıkmamış olmalıydı. Yeniden "merak ettim," dedim, tam olarak ne söyleyeceğimi bilemiyordum.

– Tamam Antonius, dedi gülümseyerek, geç otur.

– İyi misin, dedim.

– Üşütmüşüm biraz.

– Telefonun da kapalıydı.

– Konuşacak halim yoktu...

Geldiğime kızmamıştı, sanki yapılacak en doğal şeyi yapmışım gibi karşılamıştı beni.

– Sana bir kahve yapayım, dedi.

– Yardım edeyim mi?

– Yok, sen otur.

Oturdum. Kahveleri getirince "sen nasılsın," dedi, "ben de seni merak ettim, iyi misin?"

– "İyiyim," dedim, sesimde bir tedirginlik vardı, huzursuzdum.

"Rahat otursana," dedi, "ne o öyle koltuğun ucunda oturuyorsun, düşeceksin."

Arkama yaslandım. Yüzüne bakıyor, duygularını anlamaya uğraşıyordum, bana kırgın mıydı, kızgın mıydı, küskün müydü, benden vaz mı geçmişti... Duygularıyla ilgili bir ipucu bulamıyordum yüzünde, gözlerinin yorgun olduğunu görüyordum sadece. Bana bakıyordu, o da bir şeyi görmeye uğraşır gibiydi, ikimiz de birbirimizin yüzünde bazı işaretler arıyorduk. Açık denizde, ufka yakın bir yerde gördüğü kıpırtının büyük bir balığa mı yoksa küçük bir dalgaya mı ait olduğunu çıkarmaya çalışan bir adam gibi cildinin altında, dudaklarıyla gözlerinin kenarında gördüğümü sandığım bir keder gölgesinin gerçek olup olmadığını anlamaya uğraşıyordum. Bir keder görmek istediğimi farkettim. O kederin yanında beni gördüğü için bir sevinç de olsun istiyordum.

– Niye öyle bakıyorsun, dedi.

– Nasıl bakıyorum?

– Beni ilk defa görüyormuşsun gibi... Yaşlılığım mı şaşırttı seni?

– Yaşlı değilsin, dedim, aksine çok genç gözüküyorsun.

– Yalancısın Antonius, dedi gülerek, ama her zamanki gibi kibarsın... Senin doğal bir kibarlığın var, bunu hiç kaybetmemelisin.

– Yalan söylemiyorum, dedim, sen Kraliçe Kleopatra'sın, her zaman gençsin.

Gülümsedi ve ilk defa kederi açık biçimde o gülümsemesinde gördüm.

– Mısır'da kraliçe olacağıma Polonya'da kısrak olsaydım, dedi, bazen bir at olmak bir kraliçe olmaktan daha iyidir.

Sonra söylediklerine kızmış gibi elini havada sallayıp "neyse, bunları boşver," dedi, "ne yaptın, ne zaman gidiyorsun?"

– Kesin bir şey yok, dedim, para sorununu halledemedim, gideceğim kesin değil.

– Gitmelisin, buraları artık tekin değil, seni mimlemişlerdir. Başına bir şey gelirse artık o kadarına gerçekten dayanamam...

– Abartıyorsun, dedim.

– Ah Antonius, dedi, senin çılgın, benim akıllı olacağım günler de mi gelecekti?

Bacak bacak üstüne attı, bacakları bir anlığına eteklerinin altından görünüp kayboldu. Bu kadarı beni heyecanlandırmaya yetti. Onun toprağına ekilip orada büyümüş bir fidan gibi onun iklimine, rüzgarına, suyuna uygun biçimde gelişmiştim, ona bağımlıydım, onu kalabalık bir havaalanında, bir istasyonda, bir mitingde uzaktan görsem bile en küçük bir hareketiyle dalgalanıp heyecanlanırdım. O benim Büyücü Merlinim, Tanrıça Hekatem'di, onun büyüsünden kurtulamazdım, onun verdiği mutluluğu başka kimse veremezdi. Bunu hissediyordum. Ona böylesine bağımlı olmak, bana onu asla kaybetmeyeceğime dair garip bir güven duygusu da bağışlıyordu.

Beni tanıyordu, bakışlarımı tanıyordu.

– Ne o Antonius, dedi.

Tedirginliğim kaybolmuş, güvenim geri gelmişti.

– Ne dersin?

– Şimdi olmaz, dedi gülerek, çok bitkinim... İyileşeyim o zaman acısını çıkartırız.

İlk defa reddediyordu.

– Asma yüzünü, dedi, acısını çıkartırız diyorum.

Yeniden ciddileşti.

– Sen para yüzünden mi oyalanıyorsun buralarda?

– O da var ama...

Önemsiz bir soru sorar gibi "Sıla ne yaptı" diye sordu.

– O hazırlıklarını tamamladı, gidiyor.

– Akıllı bir kız o.

Sustuk. Sessizlik uzadı. Vazolar boş olunca ev de boş gözüküyordu. Tren istasyonunda gibiydik, ne söylenecekse çabuk söylenmeliydi ama söylenecek o kadar söz vardı ki o dar zaman aralığından geçemiyorlar, hepsi boğazımda tıkanıp gırtlağımı sıkıyorlardı.

– Yeni belgeseller seyrettin mi, dedim.

– Son zamanlarda pek halim yok, bir şey seyredemedim.

– Hastayken sana kim bakıyor?

– Ben kendime bakarım.

– Sana ben bakayım mı? Burada kalırım, seni iyileştiririm. Sen söylersin ben senin dediklerini yapar yemek pişiririm.

"Ah Antonius," dedi inler gibi... Sonra "hastayken yalnız kalmayı tercih ederim," diye ekledi. "Beni hasta halimde görmeni istemem, bıkarsın sonra..."

– Hastalıkta sağlıkta, dedim gülerek.

– Bazen sadece sağlıkta, dedi usulca.

Israr etmek istiyordum ama ısrarımın bir işe yaramayacağını anlamıştım. Bizimle ilgili ama bizden bağımsız, bizden daha büyük bir şey vardı sanki aramızda, istesek de onu aşamıyorduk, ele geçmeyen, görünmeyen, dokunduğumuzda bizi geriye iten esnek ve güçlü bir duvar oluşmuştu.

– Hadi git artık, dedi, yoruldum, uzanacağım biraz.

– Beni istemiyor musun?

– Birkaç güne kadar iyileşirim, dedi, şimdi gerçekten yorgunum.

Kalktım. O kapıya doğru yürümüştü bile... Kapının önünde durdum, ona baktım. Uzanıp saçlarını bağlayan tokayı çözdüm, altın kızılı saçları omuzlarına döküldü. Hiç kıpırdamadan bana bakıyordu.

Kapıyı arkamdan yavaşça kapattı.

Aşağıya inerken, kapıyı kapatmadan önce yüzünde beliren ifadeyi düşünüyordum, neydi o ifade? Geleceği gören, o geleceğin içinde saklı olanları olgunlukla kabul edip, isyandan ve mücadeleden vazgeçmiş bir kahinin bakışlarına benziyordu. Kaderine teslim olanların incecik, belli belirsiz kederli gülümsemesini de görmüştüm.

İçimin yırtıldığını hissediyordum, "birkaç güne kadar iyileşirim," dediğini düşünüp kendimi yatıştırmaya uğraşıyordum. Hiçbir zaman açıklama yapmaz, mazeret göstermez, bu nedenle yalan da söylemezdi. Birkaç gün sonra gelecekti.

Üç gün sonra kapıma sıkıştırılmış bir banka makbuzu buldum, biri adıma para göndermişti. Gönderen bölümünde kargacık burgacık harflerle yazılı isim okunamıyordu, paranın gönderilme nedeni bölümünde "Kanada seyahati için" yazıyordu. Bankaya gittim. Para geldiğini söyleyip makbuzu gösterdim. Beni bir görevliye götürdüler. Genç bakımlı bir kadındı. Makbuzu aldı, bilgisayarındaki bilgileri kontrol etti.

– Adınıza yüz bin lira gönderilmiş, dedi.

Muazzam bir sevinçle sarsıldım, gemisi batmış bir adamın bir kumsala vardığı anda hissettiğini andıran, başka bütün duygulardan bağımsız bir sevinçti, "kurtuldum" diye düşündüm. Birden her şeyi, herkesi, bütün dünyayı unuttum, sadece ben vardım, kurtulmuştum. Babamın ölümünden bu yana yaşadığım her şey, karşılaştığım herkes, hissettiğim bütün duygular, yoksulluğumla birlikte silinip gitmiş, hiçbir iz kalmamıştı. Özgürdüm.

Bencilce bir soğukkanlılıkla parayı dövize çevirip, açtırdığım hesaba yatırdım. Bankadan büyük ve huzurlu bir rahatlama duygusuyla çıktım.

Ne olduğunu, ne yaşadığımı anlamam biraz zaman aldı. Birden bir düşünce kafamın içinde patladı: Arabasını sattı. "Gitti" diye düşündüm, "beni terk etti. Onu bir daha göremeyeceğim." Yutkunamıyordum, soluk alamıyordum, başım dönüyordu, yere yıkılacağımdan korkup kaldırıma oturdum. Sokak kül rengi bir girdap gibi dönerek beni içine çekiyordu.

Biraz kendimi toparlayınca ilk bulduğum telefondan aradım. Nefret ettiğim o mekanik ses, "bu hat artık kullanılmıyor" dedi.

Bir taksi çevirip evine gittim. Araba yoktu. Yerine başka bir araba park etmişti. Evin perdeleri kapalıydı.

Kapıyı çaldım. Çaldım. Çaldım.

Açılmadı.

XIII

İlk günler kör olmuş gibiydim, sürekli bir alacakaranlık içinde yaşıyordum, şehir aniden hafızamdan silinmişti, sokakların ismini hatırlamıyordum, yönümü bulamıyordum. Uyumadığım zamanlar yürüyordum, durmaya tahammülüm yoktu, nefes almakta zorlandığım için yürürken derin derin iç çekmek zorunda kalıyordum. Hayat Hanım'ı bir daha görmeyeceğimi düşündüğümde kendimi kapısı ve penceresi olmayan bir odaya kapatılmış gibi hissediyordum, zihnim bu korkunç yerden kurtulabilmek için çırpınıyordu. Ona söyleyebilecekken söylemediğim cümlelerin pişmanlığı içimi sıkıştırıyordu.

Onun o art niyetsiz, muzip ve alaycı bakışlarını, şakalarını, hatta o muhteşem çıplaklığını bile değil sadece "bir an seç" diyen, "bir kısrak olmak bazen kraliçe olmaktan daha iyidir" diyen, bende kederli izler bırakan sözlerini, ölen küçük çocuk için yatakta ağlayışını hatırlıyordum. Mutsuzluğum öyle kalın bir kabuk oluşturmuştu ki içine en ufak mutlu bir görüntünün sızmasına bile izin vermiyordu. Üstelik onun üzüldüğü anları düşünmek benim kederimi daha da artırıyordu ve ben anlaşılmaz biçimde beni yaralayan bıçağı çıkarmaya değil, daha derine sokmaya uğraşıyordum.

Kendimi hayretle, biraz da küçümseyerek izliyordum, evet Hayat Hanım'ın benim için önemi büyüktü, onun bedenine, çıplaklığına, doğallığına tutkundum, onu her zaman özlemiş, arzulamış, kıskanmıştım ama onun edebiyat konusundaki cehaletini, alt sınıftan erkeklerle ilişkisini, babası hakkında hikâyeler uydurmasını, herkesin ortasında oynamasını, hiç rahatsızlık duymadan bir varoş televizyonunda figüran olmasını da içten içe hep küçümsemiş, alçakça bir bencillikle bu küçümseyişte kendim için bir güvence görüp bu duyguyu canlı tutmuştum. Ona karşı olan bütün duygularım bana hep bir oyun gibi gözükmüştü, onu en çok özlediğimde bile bu duygunun benim hissettiğim kadar sahici olmadığına inanmıştım, o duygudan korkmamıştım. Bedenimle ona bağlı olduğumu düşünmüştüm, onu kaybettiğimde etimin bir yoksunluk yaşayacağını biliyordum ama bunun üstesinden gelmenin kolay olacağına dair gizli bir inancım vardı. Şimdi onu kaybedince bedenimden önce zihnim, bilincim, neredeyse bütün varlığım darbe almıştı. Bunun nasıl gerçekleştiğini anlamıyordum, Hayat Hanım ne zaman benim bütün bilincimi, bütün belleğimi ele geçirip oraya yerleşmişti? Nasıl oluyordu da onu kaybedince her şeyi kaybetmiş gibi hissediyordum? Ne anneme, ne arkadaşlarıma tanıştırabileceğim, yan yana görünmekten hep gizlice utandığım bir kadın hangi gün, hangi saat benim bütün varlığımı, onu kaybettiğimde öleceğimi sanacağım kadar derinden yakalayıp ele geçirmişti? Bunların hiçbirinin cevabını bilmiyordum. Olmaması gereken bir şey oluyor, yaşanmaması gereken bir şey yaşanıyordu. Kendimi, duygularımı, düşüncelerimi anlayamıyordum. Bu ilişki ne zaman bir oyun olmaktan çıkmıştı? Bazen, bütün yaşadıklarımızı tek tek düşündüğüm saatler geçiriyor, o "ân"ı bulmaya uğraşıyordum. Bulamıyordum. Ona öfkeleniyordum. Beni büyük bir rahatlıkla hayatına almış, sonra aynı rahatlıkla hayatından çıkarmıştı. Onun için bu hep bir oyun olmuştu. Beni tuzağa düşürmüştü. Her şeyi bir oyun gibi göstermişti. Her şeye gülmüştü, muzipçe, alaycı, çok güzel gülmüştü, o hiçbir şeye aldırmadığı için ben de aldırmayacağımı sanmıştım, "en fazla ölürüz" demişti ama en fazla ölürken acı da çekeriz dememişti, acıyı küçümsemişti, ben de acıyı küçümseyebileceğimi sanmıştım. "Bir an seç" demişti, o "bir ânı" küçümsememişti, onu fark etmemiştim, o bir ânın benim bütün hayatım olabileceğini hiç aklıma getirmemiştim, beni insanlığın, tarihin, edebiyatın üstünde bir yere, tanrıların olduğu bir yere götürmüştü, hep orada kalacağıma inanmıştım. Tanrı'nın Adem'i kandırdığı gibi o da beni kandırmıştı, sonra ilk günahla beni cennetinden kovmuştu. Sen kimsin dediğimde Tanrı'nın Musa'ya dediği gibi "ben, benim" demişti, başka bir şey söylememişti. Musa nasıl Tanrı hakkında hiçbir şey bilmiyorsa ben de onun hakkında hiçbir şey bilmiyordum. Onu özlüyordum. O bana aldırmıyordu, ben onsuz yaşayamıyordum. Bu nasıl olmuştu? "Bunun bir kuralı yok" demişti bir keresinde. Bunun bir kuralı yok. Bir tek roman bile okumamıştı. Bunun bir kuralı yok muydu gerçekten?

Bazen bir insan sesi duymayı, bir insanla konuşmayı özlüyordum, ama kimseyle çok fazla konuşmaya tahammül edemiyordum, gene kendi içime çekilmek istiyordum. Sıla, yolculuk hazırlıklarıyla meşguldü. Ben de buradan gitmekten başka çarem olmadığını biliyordum, bu şekilde, Hayat Hanım'ı görme ihtimali olmadan yaşayamayacağımı hissediyordum. Bu şehir yalnızlığımı artırıyordu.

Annemi aradım. Daha sesimi duyar duymaz, "neyin var" dedi, "iyiyim" dedim.

– Sesin kötü geliyor.

– İyiyim anneciğim.

Bir an sessizlik oldu.

– Ben Kanada'ya gidiyorum, dedim. Bu akşam otobüse binip oraya geleceğim, geldiğimde daha ayrıntılı anlatırım.

Geceyarısı kalkan otobüse bilet aldım. Biraz dinlenmek için hana döndüm. Mutfakta Emir'le Tevhide'ye rastladım. Tevhide koşarak yanıma gelip elimi tuttu, "biz taşınıyoruz," dedi.

– Seni özleyeceğim, dedim.

Birden güldü.

– Gerçekten mi?

– Gerçekten.

– O zaman ben de seni özlerim.

Emir'e baktım, gözünün altındaki damar seğiriyordu, nereye taşındıklarını sormadım, o da nereye taşınacaklarını söylemedi. El sıkıştık, "iyi şanslar" dedim, "sana da" dedi. "Belki bir gün yeniden karşılaşırız," dedi, "belki," dedim.

Odama çıktım. Onların taşınması tahminimden daha fazla üzmüştü beni, herkes gidiyordu. Yatağa uzandım ama uyuyamadım. Kalkıp balkona çıktım, sokak bomboştu.

Otobüs tam saatinde kalktı. Şehrin ışıklarının içinden geçtik, sonra ışıklar azaldı. Başımı pencereye dayadım. Dalmışım. Birden silkinerek "Hayat Hanım'ı bir daha görmeyeceğim" diye uyandım. Hiçbir ihtimal olmaması, daha yaşarken ölümü andıran bir çaresizlikle karşılaşmak korkunçtu. Hayatta her zaman bir ümit olduğunu biliyordum ama o ümidi yaratabilmek için insanda bir güç olması gerekiyordu, bende o güç yoktu. Tükenmiştim. Sabah sekizde otobüsten indim, yarım saat sonra annemin evine varmıştım.

Özenerek bir kahvaltı sofrası hazırlamıştı. İştahla yemeye başladım, sanki vücudum annemi görünce ölmekten vazgeçmişti. Kanada'yı, planlarımı, okulu, Sıla'yı anlattım, "oraya yerleşmeyi düşünüyorum" dedim, "ben yerleşeyim, belki sen de gelirsin. Orada yaşarız."

– Bakalım oğlum, dedi.

Onu son gördüğümden daha iyi görünüyordu ama mahzun bir hali vardı. Bir daha hiç gülmeyecekmiş gibiydi, sanki çok hayatî bir parçası gülüşüyle birlikte ondan koparılmıştı, iri siyah gözlerine baktığımda bunu görüyordum. Neşesiyle, kahkahasıyla hatırladığım annemden geriye hüzünlü ve kibar bir gülümseme kalmıştı.

Kahvaltıdan sonra çıkıp deniz kenarında bir kafede oturduk, huzurlu ve sakindim, babamdan konuştuk, sevgi dolu bir keder vardı sesinde, babamdan konuşmaktan hoşlanıyordu. Çok güzel iki saat geçirdik. Sonra birdenbire, görünür hiçbir neden olmadan kalın, demir bir kapının içimde kapanıp kilitlendiğini hissettim, soluk almakta zorlanmaya başladım, hemen dönmek istedim.

Israr etmedi, otogara kadar gelip beni geçirdi, otobüse binmeden önce, "git oğlum" dedi, "belki sonra ben de gelirim." Otobüs hareket eder etmez uyudum, yol boyunca uyanmadım. Gece yarısını geçe hana vardım. Nefes almaya çalışarak balkonda oturdum.

Bir ara çok susadım. Su içmek için mutfağa indim. Uzun masada yaşlı bir adam tek başına oturuyordu. Gri bir takım elbise giymiş, siyah bir kravat takmıştı. Saçları bembeyazdı. Hana yeni taşınmıştı. Hiçkimseyle konuşmuyor, ayaklarını sürüye sürüye yürüyerek bazen mutfağa gelip bir bardak çay alıp gidiyordu. Herkes onun deli olduğunu düşünüyordu. Bunu düşündürecek bir şey yapmıyor ya da söylemiyordu. Deliliği yüzünde taşıyordu. Yüzünün çizgileri sanki dağılıyor, ıslanmış bir suluboya resim gibi akıyor, hiçbir ifadeyi içinde tutamıyordu. Ne bir duygunun ne de bir düşüncenin izi vardı yüzünde. Gözleri biraz önce ağlamış gibi her zaman ıslaktı.

O boş mutfakta birbirimizin yüzüne baktık, ben onun yüzünde deliliği gördüm, onun benim yüzümde ne gördüğünü bilmiyorum. Ama ne gördüyse yüzünün çizgileri toparlandı, acımaya benzer bir ifadeyi zaptetmeyi başardı.

– Gel, otur, dedi.

Yumuşak ama otoriter bir sesi vardı.

Karşısına oturdum, bir süre ikimiz de konuşmadık, sonra o anlatmaya başladı.

– Bir pulcu dükkânım vardı, dedi. Ender bulunan pullar satardım. Üç ay önce hatalı basılmış bir pulun piyasada dolaştığı söylentisi yayıldı. Dünyada başka hiçbir örneği olmayan hatalı bir pul kadar değerli bir şey yoktur. Her pulcunun hayali hatalı bir pul bulmaktır, bir benzeri olmayan bir pul. Bir gün çok güvendiğim pulcu bir arkadaşım geldi, hatalı pulu bulduğunu söyledi. Benim param yetmiyor, paran varsa sen al, dedi. Defineyi bulmuştum. Her şeyimi sattım, evimi, dükkânımı, arabamı, her şeyimi. Arkadaşımın getirdiği hatalı pulu aldım. Sonra beklemeye başladım. Bir gün çok zengin bir kolleksiyoner geldi pulu görmeye. Pulu uzun uzun inceledi, bu sahte dedi. Olamaz dedim, ben bütün hayatımı bu pula yatırdım. Bir uzmana soralım dedi, olur dedim. Ertesi gün bir uzmanla geldi. Uzman, bana pulu satan arkadaşımdı. Pulu inceledi, bu sahte dedi. Hırstan nasıl kör olduysam, sahte olduğunu ben görememiştim.

Cebinden küçük bir zarf çıkardı, zarfı masanın üzerine doğru eğince bir pul düştü masanın üzerine.

– Dünyanın en değerli pulu, dedi.

Sonra sakin bir sesle ekledi:

– Ama sahte... Bunun gerçeğini bulmak lazım, bulursan asla kaybetmemelisin.

– Pulu size satan arkadaşınıza ne yaptınız, dedim.

Yüzünün çizgileri yeniden dağılıp aktı, ifade kayboldu, gözleri beni görmüyormuş gibi bomboş bakmaya başladı.

Pulu zarfa koydu, "ya, öyle" dedi, kalkıp ayaklarını sürüyerek gitti. Bana bütün bunları niye anlattığını anlamamıştım ama etkilenmiştim. Beni etkileyen adamın başına gelenlerden çok, deliliğin sınırını geçmekte olan bir insanın, elinde kalan bütün gücüyle o sınırdan beni teselli edeceğini düşündüğü bir şeyi anlatmak için geri dönmesiydi. Aklında tutabildiği tek hikâyeyi anlatmak için bütün iradesini harcamıştı. Bir delinin merhametine muhtaç hâle düştüğümü düşünerek üzülebilirdim belki ama öyle olmadı, hayatı terketmekte olan birinin neredeyse elinde kalan her şeyi merhamete dönüştürüp bana vermesi bana iyi geldi. Sakinleştim. Odama çıkıp, ışığı açmadan doğrudan yatağıma girip yattım. Yüzümü görmekten korkmuştum. Delilik yolundaki bir adamı kısa süreliğine de olsa yolundan döndürecek bir yüze bakmanın beni de aynı yola çıkaracağına dair ürkütücü bir endişeye kapılmıştım sanırım. O günler, o türden endişelerin bana çok doğal göründüğü günlerdi.

İki gün sonra Sıla'yla gidip biletlerimizi aldık, Sıla heyecanla gelecekten söz ediyordu, anlattıklarını dinlemekten hoşlanıyordum, gidince geçmişle ilgili her şeyi unutacağıma, yeni bir insan olacağıma inanmaya uğraşıyordum, bir şeye inanmaya, bir hayale tutunmaya mecburdum, içimdeki ölümü durdurmanın başka bir çaresi yoktu. İki hafta sonra gidecektik.

İsimlerini hatırlamadığım sokaklarda saatler süren yürüyüşlerimden birinden döndüğüm bir gece odanın ışığını yakınca kapının altından atılmış bir zarf gördüm. Zarfı yavaşça açıp okumaya başladım:

"Neden hâlâ gitmedin? Evet, seni izliyorum arada gelip senin gidip gitmediğine bakıyorum. Ben yarın gidiyorum. Ülkenin derinlerine doğru gideceğim. Uzun süre dönmeyeceğim. Belki de hiç.

Evet, üzüldüm. Hem de çok. Benim üzülmemi istiyordun. Üzüldüm işte. Üzülmenin ne olduğunu unutmuştum. Hatırladım. Dünyanın her yirmi bin yılda titreyen bir kaya parçası olduğu gerçeğini unutmakmış üzülmek.

Mutlu olunca da bu gerçeği unutuyorsun. Ne garip, mutlulukla mutsuzluk birbirine benziyor, ikisi için de gerçeği unutman gerekiyor. Bu ikisini de sayende yaşadım.

Git buralardan. Sıla'yı da al git. Senin güvende ve iyi olduğunu bilmek bana iyi gelecek. Senin için endişeleniyorum. Korkmayı da bana yeniden hatırlattın.

Ne yaparsan yap, kimi seversen sev benden sana bir 'an' kalacak değil mi? Bir 'an' seçmeyi ve onu içinde bir yerde saklamayı unutma. Bunu hâlâ istiyorum.

Benim yakışıklı, kibar Antoniusum..."

Şair gibi Hayat Hanım da ellerimin arasından kaymıştı, onu tutamamıştım. Boşluğa kaymıştı, bir daha dönmeyecekti, ben de bir daha eskisi gibi olmayacaktım.

Beni sevdiğini onu bir daha göremeyeceğim zaman öğreniyordum. Bunu onun satırlarındaki gizli itiraftan öğrendiğimde hissettiğim sevinç, zafer duygusu ve o an için çok tuhaf olan mutluluk, acımı, yenilgimi, ve mutsuzluğumu daha da artırmıştı.

Ona söyleyemediğim cümleleri söylemiş olsaydım bütün geleceğim bugün olduğundan daha farklı olacaktı. O söylenmemiş, eksik bırakılmış cümleler hayata çarpıp yolunu değiştirmişti.

Onları söyleseydim her şey değişecekti.

Ama söyleyememiştim.

XIV

Yaz bitti, yerini sonbahar sabahlarının şeffaf serinliğine bıraktı. Sıla gideli üç ay oldu. Ben gidemedim, son anda vazgeçtim. Mutluluğu nerede kaybettiysem orada aramam gerektiğine, ancak orada bulabileceğime karar verdim. Bütün yaşadıklarımı bir bavula doldurup geçmişe fırlatmanın, geleceğimden de bir şeyleri alıp götüreceğini, hep bir şeylerin eksik kalacağını, beni bir daha iyileşmeyecek biçimde sakatlayacağını hissettim sanırım. Hep bir eksikliği tamamlamaya çalışmaya, eksik bir hayat yaşamaya tahammül edemeyeceğimi anladım.

Zaman geçiyor. Zaman geçtiğinde geriye ne kalıyor, bunu yaşayarak öğreniyorum, zamandan geriye kalan içimde taşıdığım kendi tarihim. Bir yıl öncesinde asla tahmin edemeyeceğim kadar çok şey birikti o tarihin içinde. Bunca şeyi kısacık bir tarihin içinde biriktirmenin bir bedeli var ve o bedeli ödüyorum.

Onunla gitmeyeceğimi Sıla'ya söylemekte çok zorlandım, söylemeyi günlerce erteledim, aklımdan belki de binlerce kez onunla konuştum, ben söyledim, o söyledi... Gerçek konuşma ise benim asla tahmin edemeyeceğim bir biçimde, çok şaşırtıcı, çok sarsıcı, çok yaralayıcı oldu.

Kanada'ya gitmeyeceğimi, biletimi iade edeceğimi aniden ve bir çırpıda söyledim, önce ne söylediğimi anlamadı galiba, sonra önüne baktı, bir eliyle diğer elini sıktığını, parmak eklemlerinin beyazlaştığını gördüm.

– O kadın yüzünden mi? dedi.

Sanki düşüyormuşum gibi masanın kenarına yapıştığımı hatırlıyorum, bütün kadınların içinde bir büyücü olduğu geçti aklımdan, ben gördüğümü anlamazken, onlar görmediklerini biliyorlar, sırları çözüyorlar ve bunu hemen söylemiyorlardı.

– Hangi kadın, dedim.

– Biliyorsun işte, o yaşlı kadın.

Sonra hiç beklenmedik bir şey söyledi:

– Sensiz yaşayamaz diye mi düşündün?

Bunu söylemesinde, onda asla görmeyeceğimi sandığım yaralı bir yan vardı. Ben, güzelliklerinin kadınları koruyacağına, onları yaralanmaz kılacağına inanıyordum. Yaralanmıştı. Ben onun kadar güzel bir kadını yaralayabilecek güce sahip olduğumu hiçbir zaman düşünmemiştim, hakkım olmayan bir şeyi gizlice çalmışım, olmadığım birinin kılığına girmişim gibi anlatılması çok zor, tuhaf bir utanç hissettim.

Bir an dürüstçe davranmayı, her şeyi anlatmayı istedim ama "dürüstlük her zaman âdil değildi, insan ne zaman dürüst olacağına iyi karar vermeliydi," dürüstlüğün onu daha fazla yaralayacağını, ona sığınabileceği bir yalan vermem gerektiğini sezdim.

– Ne ilgisi var, dedim, ben onu görmüyorum bile...

Söylediğimin hiç olmazsa bir kısmı doğruydu.

Yüzüme baktı, bir daha belki hiç rastlayamayacağım kadar güzeldi. Onunla daha önce, babam sağken, ikimiz de zenginken karşılaşsaydık herhalde her şey daha başka türlü gelişirdi. O, benim bütün çocukluğum boyunca hayalini kurduğum kadındı. Belki de evlenirdik. Bu ilişkiden de birisi vazgeçecekse herhalde vazgeçen o olurdu. Ama anlayamadığım bir nedenden dolayı öyle olmamıştı. İnsan, kendisini ve yaptıklarını her zaman anlayamıyor.

"Peki," diyerek çantasını alıp kalktı. Birkaç adım attıktan sonra dönüp, "üzülme" dedi. Kendisine yakışan bir şekilde son darbeyi zarafetle indirmişti.

Hızla yürüyordu. Yürüyüşünde, kollarını açıp rüzgâra karşı durduğu ânı hatırlatan bir şey vardı. Birden öylesine derin bir sevgi ve öylesine derin bir özlem hissettim ki bir an kararımı değiştirip arkasından koşmayı düşündüm. Ben kımıldayamadan o bir taksiyi durdurup bindi. Arabanın uzaklaşışını izledim. Güzel bir gündü, küçük bulutların geçtiği parlak bir gökyüzü vardı, martılar daireler çizerek, birbirlerine sataşarak uçuyorlardı, iğde çiçeklerinin yoğun kokusu yayılıyordu sokaklara. Gördüğüm her şey, duyduğum her ses, hissettiğim her koku çevremdeki bu parlak sevinç ayrılığın hüznünü ve yalnızlık duygusunu artırıyordu.

Onun gidişi büyük bir depremin ardından gelen son sarsıntı gibi ayakta kalan ne varsa onları da yıktı, korkunç bir enkazın altında kaldım. Her zaman yaptığım gibi edebiyata ve okula sığındım. Hayat Hanım'ın mektubundan sonra televizyona gidemiyordum, bir süre sonra televizyon da kapandı zaten. Okul kütüphanesinde bir iş buldum. Vaktimin çoğunu okulda geçiriyorum artık, öğlen tatillerinde sandviçimi alıp sınıf arkadaşlarımla ağaçların altında oturuyorum. Genellikle ben anlatıyorum, bazı ödevlerinde yardım ediyorum. Bu, bana iyi geliyor.

Sabahları yüzüme bakıyorum. İnsanları delilik yolculuğundan geri çevirecek o korkunç keder görünmüyor artık çizgilerimde. Benim yaşımdaki birinde pek rastlanmayacak bir sükûnet ve olgunluk var ifademde. Yaşlı bir adamı andırıyorum. Yüzümle gençliğim arasındaki tuhaf çelişki nedense kadınların ilgisini çekiyor, yüzümü bir kitap kapağı gibi kaldırıp altında ne var diye bakmak istiyorlar sanki. Gülümseyerek, "benim hayatımda ilgi çekici bir şey yok" diyorum onlara.

Nermin Hanım'la Kaan Bey hâlâ hapiste. Ne zaman çıkacakları belli değil. Sık sık onlardan söz ediyoruz. Kaan Bey'in klişelerle ve tesadüflerle ilgili sorusunun cevabını bulduğumu sanıyorum bütün yaşadıklarımdan sonra: Doğmak bir klişeydi, ölüm bir klişeydi. Aşk bir klişeydi, ayrılık bir klişeydi, özlemek klişeydi, ihanet klişeydi, duyguları inkâr klişeydi, zaaflar klişeydi, korku klişeydi, yoksulluk klişeydi, zamanın geçmesi klişeydi, haksızlık klişeydi... Ve bütün bu klişeler insanı paramparça eden gerçekleri barındırıyordu içinde. İnsanlar klişelerle yaşayıp, klişelerle acı çekiyor, klişelerle ölüyorlardı.

Ne zaman doğacağın, ne zaman öleceğin, kime âşık olacağın, kimden ayrılacağın, kimi özleyeceğin, ne zaman korkacağın, yoksul olup olmayacağın ise tesadüftü. Bize yakın biri hastalandığında, öldüğünde, bizi terkettiğinde, o korkunç "tesadüf" bizi bulduğunda "klişenin" hükmü kalmıyordu. Tesadüflerin çizdiği kaderimiz, başımıza gelenlerin bir klişeler serisi olduğunu görmemizi engelliyordu. Klişelere isyan etmek çok anlamsız olduğu için tesadüflere isyan ediyorduk, "neden ben", "neden o", "neden şimdi" demek daha anlamlı geliyordu.

215

Klişelerle tesadüflerin oluşturduğu sıradan gerçeklerin dışına çıkmaya değil, tam aksine iyice içine girmeye, derine, daha derine inmeye çalışmalıydık. Hayatın ve edebiyatın bir arada bulunabileceği yer orasıydı.

Mümtazlar yeni bir dergi çıkartıyorlar. Yazıları düzeltiyorum, imzasız yazılar yazıyorum. Yazı yazmayı gittikçe daha çok seviyorum. Bir ucu gökyüzüne uzanırken bir ucu da yer altına inen bir merdiven keşfetmiş gibiyim. O merdivenin sırlarını anlamaya çalışıyorum. Zamanı ve mekânı yeniden biçimlendirecek bir güce ve sınırsız bir özgürlüğe kavuştuğum duygusu veriyor bana yazmak. Hayatımda ilk kez bütün koşullarını kendimin belirleyeceği bir evrenin varlığını görüyorum.

Yazı yazarak kendi içinde büyük bir özgürlüğün kapısını açarken aynı zamanda dışardan gelecek tehlikelerin kapısını açtığımın da farkındayım. Her şafak vakti ter içinde uyanıp pencereden aşağıda polis arabaları var mı diye bakıyorum. Korku, gergin bir tel gibi kıpırdıyor içimde. Bu korkunun, ölümden kurtaramadığım Şair'e olan borcumun bir parçası olduğuna inanıyorum.

Korkuya, yalnızlığa, özlemeye alıştım, yakınmıyorum, balın içindeki zehiri sessizce yutmayı öğrendim. Hayat Hanım birçok başka şeyin yanında bunu da öğretti bana.

Derste okuduğumuz Shakespeare'in bir sonesinden iki dize sürekli zihnimde yankılanıyor.

Bu rüya sürdükçe mutluluktu sahip olmak sana
Uykumda bir kraldım ama bir hiçim uyandığımda

Onu özlüyorum. Onun uyurkenki hali geliyor gözümün önüne. İlk gece uyandığımda önce nerede olduğumu kavrayamamıştım, salondaki lamba açık kalmıştı, ışık salondan odaya uzanan koridordan geçerek gelirken kapı pervazlarına, yer karolarına, küçük kilimlere, duvar kirişlerine çarparak azalıyor, odaya damlacıklar hâlinde ulaşıyordu. Karanlık odanın içinde ışık damlacıkları dolaşıyordu. Bir ışık damlasının üstünden kaydığı altın kızılı gür saçları, yüzünün bir kısmını açıkta bırakarak şakağından geriye doğru omuzlarına dökülüyordu. Sağ kolunu yastığa koymuş, başını o eline dayamıştı, sol kolunu ileri doğru uzatmıştı, yuvarlak omuzbaşı yorganın dışında kalmıştı. Yorgan dalgalı kıvrımlarla üstünü örtmüştü. Yorganı hafifçe kaldırıp onun çıplak vücuduna bakmıştım, bütün ışık damlaları biraz kalınca beline, gergin sırtına, dolgun ve iri kalçalarına, bir tanesini kendine doğru çektiği güçlü bacaklarına toplanmıştı. Loş odada vücudu her şeyden bağımsız biçimde ışıldıyordu, parlak bir şeye, fildişine, ay ışığına, gümüşe, yaz güneşinde parlayan kavak ağaçlarının gövdesine, güney denizlerindeki kızılımsı mercanlara benzetmiştim. Onunla sevişmiştim. Sevişmek benim bildiğim gibi basit ve sıradan bir iş değildi, Çin ipeği gibi incelikle dokunmuş, fahişelerin, ejderhaların, savaşçıların, zümrüdüanka kuşlarının, alevlerin, çiçeklerin, bulutların, uçurumlarla zirvelerin görüntüleriyle bezenmiş sihirli bir pelerindi, onu giydiğinde gökyüzünün ötesinde olanları görüyordun. Saçlarıyla kolunun arasından gözüken yüzü duru ve masum bir sükûnete sahipti, ne konuşurkenki alaycı ve aldırmaz haline, ne sevişirkenki tutkulu ifadesine benziyordu, şefkat ve koruma isteği uyandırıyordu. Bende de o duyguyu uyandırmıştı. O kadar farklı halleri vardı, hayata o kadar çok ve değişik yerlerden değiyordu ki hangi halinin o olduğunu anlamak benim için imkansızdı, birbirine benzemez görüntüleri birbirine değmeden uçuşup duruyor zihnimde. Bir insanın, zihnimde bu kadar geniş bir yeri kaplayabilmesini anlamak çok zor.

Her akşam, ne olursa olsun, hiç aksatmadan onun sokağına gidip pencerelerine bakıyorum. Perdeleri yavaş yavaş soluyor. Ama yeni perdeler de takılmadı, kimse oraya taşınmadı.

Bu beni umutlandırıyor.

Bir akşam orada kehribar renkli ışığı göreceğimi hayal ediyorum. Bir gün perdelerin aydınlandığını göreceğim.

Bekliyorum.

Buradayım.